Steil   Dawn!

Enwogrwydd!

Pop a roc a ballu!

Cam bychan
at y llwyfan mawr!

Gweld Sêr

D1643331

Gweld Sêr

Seren y Dyfodol

Cindy Jefferies

addasiad
Emily Huws

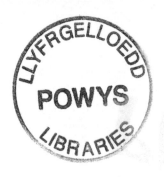

Argraffiad cyntaf: 2007

ⓗ addasiad Cymraeg: Emily Huws

Rhif rhyngwladol: 1-84527-153-X
978-1-84527-153-4

Mae'r cyhoeddwr yn cydnabod cefnogaeth ariannol
Cyngor Llyfrau Cymru

Cyhoeddwyd yn wreiddiol yn Saesneg gan Usborne Publishing Ltd.
© testun Saesneg: Cindy Jefferies
Cyhoeddwyd yn Gymraeg gan Wasg Carreg Gwalch,
12 Iard yr Orsaf, Llanrwst, Conwy, LL26 0EH.
Ffôn: 01492 642031 Ffacs: 01492 641502
e-bost: llyfrau@carreg-gwalch.co.uk
lle ar y we: www.carreg-gwalch.co.uk

Argraffwyd a chyhoeddwyd yng Nghymru.

1 Cipio`r Cyfle
2 Seren y Dyfodol

i ddilyn yn fuan:
3 Cyfrinach Ffion
4 Cythraul Canu!

1. Ysgol Newydd

Llithrodd y limwsîn heibio i'r giatiau haearn ac i fyny'r ffordd. Crensiodd y graean wrth iddo aros o flaen y brif fynedfa drawiadol. Camodd Erin allan i ganol cymeradwyaeth y dorf oedd wedi bod yn aros drwy'r dydd i gael gweld eu hoff seren bop.

Syniad bendigedig! Ond doedd heddiw ddim yn hollol gystal â hoff freuddwyd Erin. Roedd digon o geir swanc yn cyrraedd Ysgol Plas Dolwen, ond hen Vauxhall rhydlyd oedd car ei theulu hi, nid limo. Ta waeth. Un diwrnod efallai y byddai'r breuddwyd yn dod yn wir. Wedi'r cyfan, dim ond ei diwrnod cynta yn ei hysgol newydd oedd hwn. *Efallai* mai ennill yr ysgoloriaeth i'r lle arbennig yma oedd y cam cynta i ddod yn seren, oherwydd yn ogystal â'r gwersi arferol, roedden nhw'n dysgu popeth ddylai cantores bop wybod!

Ysgol ar gyfer pobl oedd eisiau bod yn gantorion pop, yn gyfansoddwyr caneuon neu'n gerddorion oedd Plas Dolwen. Roedd y lle yn llawn myfyrwyr gwirioneddol dalentog – rhai oedd yn benderfynol o lwyddo. Yma, câi Erin wersi canu yn ogystal â dysgu dawnsio, recordio'i chaneuon ei hun a'r holl bethau technegol fyddai arni hi angen eu gwybod ar gyfer gyrfa yn y diwydiant cerddoriaeth.

Edrychodd Erin allan drwy ffenest y car. Roedd ei thad wedi dilyn yr arwyddion ac wedi aros tu allan i adeilad newydd yng nghefn hen blasty hardd Plas Dolwen lle'r oedd genethod blwyddyn saith ac wyth i gyd yn cysgu. Gwelai res hir o ffenestri yn edrych i lawr ar y maes parcio a'r caeau tu hwnt. Efallai mai ffenest ei llofft hi oedd un ohonyn nhw …

"Wel, dyma ni," meddai Mam. Roedd brawd bach Erin, Dion, wedi bod yn cysgu ond deffrôdd wrth i Erin agor drws y car i fynd allan.

"Fi 'fyd," mynnodd ac agorodd Erin yr harnais ar ei sedd.

"Paid â gadael iddo fo grwydro," rhybuddiodd Mam. "Ti'n gwybod sut un ydi o!" Ond roedd Dion yn dal yn rhy gysglyd i redeg i unman. Rhoddodd ei fawd yn ei geg a gwylio pobl gerllaw yn dadlwytho ces anferth o gefn car. Byddai Erin wedi hoffi cael ces mawr fel yna ond roedden nhw'n rhy ddrud o lawer – fedrai ei theulu hi ddim fforddio un felly. Agorodd Dad gefn y car i estyn yr hen ges tolciog yn llawn o bethau Erin. Cydiodd hithau mewn dau fag plastig a chododd Mam Dion ar ei braich.

Ar ôl clywed ei bod hi wedi ennill yr ysgoloriaeth, roedd Erin wedi dyheu am y diwrnod yma. Ond rŵan, ar ôl cyrraedd, teimlai'n gymysglyd iawn. Diolch byth fod Dan James, drymiwr o'i hen ysgol, wedi cael lle hefyd. Byddai hi'n adnabod un wyneb yma beth bynnag.

"Rwyt ti'n berwi o gyffro mae'n siŵr?" holodd Dad. Nodiodd Erin, ond nid cyffro yn unig a deimlai. Roedd cwmwl mawr o ieir bach yr haf yn hofran yn ei stumog a llawer o gwestiynau heb atebion yn ei phen. Fyddai arni hi hiraeth? Lwyddai hi i wneud ffrindiau? Fyddai'r gwaith ysgol yn rhy anodd? Ond yn bwysicach na dim, tybed oedd hi'n medru canu'n ddigon da i lwyddo yn y byd pop?

Safai gwraig efo gwallt cyrliog, tywyll wrth y drws ffrynt.

"Croeso i Fron Dirion," meddai, gan ysgwyd llaw Erin a'i rhieni. "A dy enw di ydi … ?" gofynnodd yn glên i Erin.

"Erin Elis."

"Iawn, Erin. Mrs Prydderch dwi. Fi sy'n gofalu am bawb yn Fron Dirion. Unrhyw broblem o gwbl, neu os wyt ti'n poeni am rywbeth, ty'd ata i, ac os na fyddi di eisio gwneud hynny, mae Mrs George draw yn y ganolfan iechyd ar gael bob amser." Edrychodd ar y rhestr yn ei llaw. "Mae dy stafell di ym mhen draw'r coridor ar y llawr cynta. Stafell i bedair ydi hi. Genethod blwyddyn saith, wrth gwrs. Dewch, fe a' i â chi draw."

Llusgodd Erin a'i theulu ar ei hôl.

Roedd hi fel ffair yn Fron Dirion. Roedd yno lawer o ddrysau tân anodd i'w hagor a'r grisiau a'r coridorau yn llawn o enethod eraill a'u rhieni, a phawb yn cario paciau trymion ac yn ceisio gwasgu heibio'i gilydd. Roedd hi'n ddigon hawdd adnabod y genethod newydd. Nhw oedd yn edrych fel petaen nhw ar goll a'u rhieni'n edrych yn boenus efo nhw. Roedd y genethod hŷn yn fwy hyderus o lawer, yn falch o weld ei gilydd, yn cofleidio'n swnllyd ac yn stelcian o dan draed pawb.

"Symudwch o'r ffordd wir, enethod!" crefodd Mrs Prydderch ar griw oedd yn gweiddi siarad. "Ewch i gael te os dach chi wedi dadbacio. Mae 'na ddigon o le i chi sgwrsio yn y stafell fwyta."

O'r diwedd, agorodd Mrs Prydderch ddrws arall eto a sefyll o'r neilltu i adael i Erin a'i theulu fynd i mewn.

"Dyma chi," meddai hi. "Yn ôl pob golwg mae rhywun wedi cymryd y ddau wely wrth y ffenest yn barod, felly dewis di prun bynnag o'r ddau arall yr hoffet ei gael a dechrau dadbacio. Mae te yn y stafell fwyta yn y prif adeilad pan fyddi di'n barod. Bydda i bob amser yn awgrymu fod rhieni'n ffarwelio â'u plant yma," meddai wrth fam Erin, "ond cofiwch ddod i lawr y grisiau i'r gegin i gael paned o de efo gweddill y rhieni cyn ichi fynd adref. Mae'r gegin ar y dde ger y drws ffrynt."

"Wyt ti eisio inni dy helpu di i ddadbacio?"

gofynnodd Mam wedi i Mrs Prydderch fynd.

"Dim diolch," atebodd Erin.

Gwyddai Dad sut roedd hi'n teimlo. "Ty'd," meddai wrth ei wraig oedd yn hofran o gwmpas y lle efo golwg 'be wna' i' arni. "Mae ar Erin angen amser iddi hi'i hun i gael trefn ar betha. Bydd y genethod eraill yn ôl yn fuan dwi'n siŵr. Hei! Paid â gwneud hynna!" meddai wrth Dion oedd yn neidio i fyny ac i lawr ar un o'r gwelyau wrth y ffenest. "Gwely rhyw seren bop enwog arall ydi hwnna!"

"Dad! Fydd neb yn enwog am flynyddoedd ar flynyddoedd," meddai Erin.

Cofleidiodd pawb y naill a'r llall ac roedd Mam yn siarsio Erin i gofio gofyn petai arni hi angen help, i ofalu bwyta'n gall, i roi ei dillad yn y cypyrddau'n daclus ... bron nad oedd yn rhaid i Dad ei llusgo hi allan.

"Hwyl!" meddai hi wedyn wrth y drws. "Paid â cholli'r ffôn symudol 'na, na wnei? Rhoi alwad fory inni gael gwybod sut mae petha, a gwelwn ni di ymhen tair wythnos. Cofia fod yn eneth dda!"

Yna roedden nhw wedi mynd.

Aeth Erin i edrych allan drwy'r ffenest. Mewn cae gerllaw roedd defaid a chriw o frain yn crawcian ym mrigau coed uchel. Roedd hi'n olygfa wahanol iawn i'r un gartref, sef dim byd ond tai a gerddi bychain. Yna eisteddodd ar un o'r gwelyau gwag, yr un pellaf oddi wrth y drws, a siglo'i choesau gan geisio meddwl sut oedd hi'n teimlo. Oedd hi eisiau mynd yn ôl adref yn y car efo'i theulu? Oedd ... ond dim ond rhyw fymryn bach, *bach*. Roedd hi'n meddwl mwy ynghylch ei bywyd newydd. Roedd ganddi gyfle ardderchog rŵan ac roedd hi'n dyheu am ddal ati â'i gwersi canu, ond i ddechrau, roedd yn rhaid iddi gyfarfod pwy bynnag oedd yn rhannu'i stafell.

Ymddangosodd geneth dal, denau efo bag lledr du smart ar ei hysgwydd wrth y drws. Tu ôl iddi roedd dyn yn gwisgo oferôls yn gwthio hen ges tun mawr tolciog ar droli.

"Rho fo'n fan'na," meddai'r eneth wrtho'n ffroenuchel, gan gyfeirio at y lle wrth ymyl yr unig wely gwag. Gollyngodd y dyn y ces ar y llawr a diflannodd. Doedd dim golwg o'i rhieni.

Syllodd yr eneth ar Erin am funud. Erin druan!

Suddodd ei chalon i'w sodlau. O'r holl bobl, o *bawb* ar wyneb y ddaear i fod yn rhannu stafell efo hi: yr eneth fu mor annifyr efo hi ar ddiwrnod y gwrandawiad! Llywela! Roedd Erin yn cofio'i hen wep sych hi'n iawn. Am ddechrau sobor i'w bywyd newydd. Rhannu efo *Llywela*? Dechrau difrifol!

2. Ffrindiau

"Haia," meddai Llywela yn sychlyd gan droi draw. Doedd hi ddim fel petai'n cofio Erin, ond roedd hi'n berffaith amlwg nad oedd arni awydd bod yn gyfeillgar.

"Haia," atebodd Erin wrth gydio'n un o'i bagiau plastig. Roedd hi ar fin ei wagio ar ei gwely pan gyrhaeddodd dwy eneth arall. Nhw oedd wedi cymryd y gwelyau gorau yn barod. Edrychodd Erin arnyn nhw a throi draw yn sydyn. O, na! Roedd hyn yn waeth fyth! Sut yn y byd mawr y medrai hi fod yn ffrindiau efo'r ddwy yma? Fflur a Ffion oedden nhw, yr efeilliaid enwog oedd yn modelu dillad a'u hanes wedi bod yn *Cip* yn ddiweddar.

Roedd Erin wedi mynd heibio i'r ddwy ar y grisiau ar ddiwrnod y gwrandawiad gan feddwl tybed beth oedden nhw'n ei wneud ym Mhlas Dolwen. Doedd hi ddim wedi dychmygu y gallen nhwythau hefyd fod yno ar gyfer gwrandawiad. Gwyddai fod Fflur a Ffion yr un oed â hi. Roedd hi wedi darllen eu hanes yn y cylchgrawn ond doedd dim sôn yn yr erthygl eu bod yn dod i Blas Dolwen. Roedd hi wedi bod ymhell iawn o'i lle pan ddywedodd wrth ei thad na fyddai neb yma yn enwog am flynyddoedd. O! Ofnadwy! Beth petai neb ond Dan a hi yn bobl gyffredin yn yr ysgol yma?

Roedd Fflur a Ffion yn cyfarch Llywela fel petai hi'n hen ffrind. Llyncodd Erin ei phoer yn nerfus. Roedd pethau'n mynd o ddrwg i waeth. Tair yn erbyn un! Felly fyddai hi! Allai hi ofyn am gael symud i stafell arall petaen nhw i gyd yn annifyr efo hi, tybed?

Tywalltodd Erin gynnwys ei bag plastig ar y gwely i ddechrau cadw ei phethau. Os oedd yr efeilliaid 'na yn meddwl y byddai hi'n crafu iddyn nhw am eu bod nhw'n enwog, caen nhw ail! Er mai bagiau plastig a hen ges tolciog oedd ganddi, roedd hi cystal â nhw bob tamaid!

Sgwariodd ei hysgwyddau yn herfeiddiol a

chydio yn rhai o'i lluniau. Roedd un mewn ffrâm ohoni hi a'i ffrind gorau, Sara, yn smalio bod yn gantorion pop. Pan oedd hi gartref roedd hi wedi meddwl ei fod o'n llun gwych, ond rŵan, roedd arni ofn y byddai'r genethod yma'n meddwl ei fod o'n hurt ac yn chwerthin am ei phen.

Doedd y llun arall, yr un ohoni hi a Dion, ddim yn codi cymaint o gywilydd arni. Gosododd o wrth ymyl y lamp ar y bwrdd ger erchwyn ei gwely a gwneud ei gorau glas i beidio dymuno ei bod hi gartref.

"Haia!"

Roedd Erin mor brysur yn ceisio peidio teimlo'n hiraethus fel na sylwodd hi ddim ar un o'r efeilliaid yn siarad efo hi.

"Haia!" meddai'r eneth wedyn wrth ddod draw ati. Cododd Erin ei phen ac wrth iddi wneud hynny, llithrodd y llun ohoni hi a Dion oddi ar y bwrdd a syrthio ar y llawr. "Estynna i o iti!" cynigodd yr eneth. Wyddai Erin ddim ai Fflur neu Ffion oedd hi.

Tra oedd yr efaill enwog ar ei phengliniau ar y llawr yn ymestyn am y llun, edrychodd Erin arni yn ddigon hurt. Roedd hi'n rhyfedd iawn gweld rhywun mor enwog yn ymbalfalu ar y llawr wrth ochr ei gwely hi. Teimlai Erin braidd fel petai ar olwyn fawr mewn ffair – teimlad tebyg i'r eiliad honno pan fydd eich stumog ymhell o fod yn siŵr beth mae am ei wneud cyn plymio i'r ddaear.

Cydiodd yr eneth yn y llun a chodi ar ei thraed, gan ysgwyd ei gwallt hir, gloywddu tu ôl i'w hysgwyddau. Hyd yn oed yn agos ati fel hyn, roedd hi'n rhyfeddol o hardd, gyda'i llygaid tywyll a'i chroen lliw hufen perffaith. Teimlai Erin yn sobor o blaen a disylw wrth ei hochr.

"Dyma fo! Chdi ydi honna, efo dy frawd bach?" Eisteddodd ar y gwely wrth ochr Erin. "Mae o'n ddigon o sioe … Be ydi ei enw fo?"

"Dion," atebodd Erin, o'i cho'n lân efo hi'i hun am deimlo mor swil.

"Fflur dwi, gyda llaw. Mae fy wyneb i'n llawnach nag un fy chwaer ac mae ganddi hi ddafad fechan ar ei boch. Dyna sut mae gwybod y gwahaniaeth rhyngom ni!"

"Erin dwi," meddai Erin, gan feddwl tybed oedd yr efaill arall yn parablu gymaint â hon.

"Wel, haia Erin! Mae'n dda gen i dy gyfarfod di," meddai Fflur. "Hei, Ffi!" galwodd ar ei chwaer. "Ty'd yma am funud bach!" Mewn chwinciad roedd y chwaer arall yn edrych ar lun Dion yn yr ardd yn eistedd ar lin ei chwaer. "Erin ydi hon," cyflwynodd Fflur nhw. "Erin, dyma fy efaill hurt, Ffion. Mae hi'n cael ei galw'n Ffi am mai dyna'r unig ffordd y medrwn i ddweud ei henw hi pan oeddwn i'n eneth fach!"

"O! Mae o'n ddigon o ryfeddod," meddai Ffion, gan wthio pethau Erin o'r neilltu er mwyn cael lle i eistedd ar y gwely efo'r ddwy arall.

"Ddim bob amser," meddai Erin.

"Bechod na fasa gen i frawd bach. Fedar o ddim bod yn waeth na Ffion," meddai Fflur wrthi. "Mae hi'n gallu bod yn boendod weithiau."

"Dim ond pan wyt ti'n fy mhiwsio *i*!" atebodd Ffion.

"Wyt ti'n gweld be dwi'n feddwl?" meddai Fflur. "Mae hi'n anobeithiol!"

"Paid â dweud wrth Erin mor annifyr dan ni, neu fydd hi ddim eisio bod yn ffrindiau efo ni," meddai

Ffion yn hamddenol. Cydiodd yn y llun arall. "Pwy ydi hon sy efo ti?"

Gwridodd Erin. "Sara, fy ffrind."

"Mae hi'n edrych yn glên," meddai Ffion a rhoi'r llun yn ôl. Chwarddodd Fflur a gwenodd ar Erin. "Mae gynnon ninna bentwr o luniau fel yna. Dan ni'n hoffi gwisgo dillad actio hefyd!"

Fedrai Erin ddim credu beth oedd yn digwydd. Fflur a Ffion, yr efeilliaid enwog, yn gyfeillgar efo hi. Efallai y byddai pethau'n iawn wedi'r cyfan ...

"Hei, Llywela!" galwodd Ffion. "Ty'd yma i weld y llun del 'ma o frawd bach Erin."

Heb droi ei phen, dywedodd Llywela rywbeth o dan ei gwynt.

Cododd Ffion ei hysgwyddau. "Paid â chymryd sylw o Llywela," sibrydodd yng nghlust Erin. "Mae hi braidd yn rhyfedd ond unwaith rwyt ti wedi arfer efo hi mae hi'n iawn. Gohebydd ffasiwn ydi ei mam hi a weithiau dan ni'n cael ein llusgo i'r un partïon gan ein rhieni."

"Dewch!" meddai Fflur. "Mae'n amser te. Dewch 'laen. Dwi ar lwgu!" Felly gadawodd y tair Llywela yn dadbacio ac i ffwrdd â nhw i'r prif adeilad.

Roedd hi'n hwyl bod efo Fflur a Ffion. Roedd amryw o bobl yn rhythu ar yr efeilliaid am eu bod nhw mor enwog a phawb bron yn gwybod pwy oedden nhw.

"Anwybydda nhw," meddai Ffion wrth Erin ond dechreuodd Erin chwerthin.

"Maen nhw i gyd yn gwybod pwy wyt ti," meddai hi wrth Fflur, "ond mae'n debyg eu bod nhw'n methu deall pwy dwi!"

"Y seren nesa wrth gwrs!" meddai Fflur yn bendant.

"Wrth gwrs!" cytunodd Ffion, gan dynnu braich Erin drwy'i hun hi. "Beth wyt ti'n mynd i'w 'neud ym Mhlas Dolwen?"

"Canu," meddai Erin.

"A ninna hefyd! Felly chdi fydd y seren bop nesa!" chwarddodd Fflur. "Mae hynny'n bendant ... am 'mod i'n dweud – a dwi bob amser yn iawn!" ychwanegodd yn bwysig i gyd.

"Dan ni wedi dod yma i astudio am fod ein swyddog hyrwyddo ni'n dweud fod yn rhaid inni beidio rhoi ein hwyau i gyd yn yr un fasged," meddai Ffion wrth Erin.

"Wedi'r cyfan, dydi gwaith modelu ddim yn para am byth!" meddai Fflur. "Yn hwyr neu'n hwyrach bydd y cylchgronau eisio wynebau newydd."

Fedrai Erin ddim dychmygu'r efeilliaid yn cael eu gwrthod ar gyfer gwaith modelu ond cyn iddi fedru dweud hynny, cafodd gip ar wyneb cyfarwydd.

"Mae Dan yn fan'cw!" gwaeddodd yn gyffrous. "Roedd o'n mynd i'r un ysgol â fi."

"Mae o'n edrych yn glên iawn," meddai Ffion. "Awn ni i siarad efo fo. Canu mae o hefyd?"

"Nage," eglurodd Erin. "Drymiwr ydi o."

"Waaw! Dwi 'rioed wedi cyfarfod drymiwr iawn o'r blaen," meddai Fflur.

"Dewch 'laen, felly," meddai Erin. "Cyflwyna i chi!"

Doedd hi ddim wedi dychmygu y gallai hi gael diwrnod cystal. Doedd dim ots am Llywela gan fod Fflur a Ffion mor glên. Byddai'n andros o hwyl bod yn ffrindiau efo nhw.

3. Sêr y Dyfodol

Eisteddai Dan ar ei ben ei hun wrth fwrdd bach melyn.

"Cadw le i mi tra bydda i'n nôl diod inni," meddai Ffion,

"A' i i nôl bwyd," meddai Fflur. "Bacha di ddwy sedd inni, Erin!"

Gwenodd Erin a Dan ar ei gilydd. Er nad oedd ganddi hi hiraeth am ei chartref o gwbl erbyn hyn, roedd hi'n braf iawn gweld wyneb rhywun roedd hi'n ei adnabod. "Ddoist ti yma'n iawn, felly?" gofynnodd.

"Do. Newydd gyrraedd. Dwi ddim wedi colli'r cyfarfod croeso, nac ydw?"

"Nac wyt. Paid â phoeni, dydi o ddim wedi bod eto," atebodd Erin.

Edrychodd Dan draw at y rhes o bobl oedd yn nôl

bwyd. "Ti 'di 'neud ffrindiau yn barod, felly?"

"Dwi'n rhannu stafell efo nhw," meddai Erin. "Oes 'na rai go glên yn dy stafell di?"

"Wn i ddim," atebodd Dan yn ddidaro. "Gadewais i 'mag yno a dod draw yma'n syth. Mae'r lle 'ma dipyn yn wahanol i Ysgol Dyffryn Gwyrfai," ychwanegodd. "Mae o'n debycach i westy nag ysgol."

Roedd o'n iawn. Paent glân, newydd ar y waliau, y lloriau'n sgleinio, a'r patrwm hardd ar nenfwd y stafell fwyta yn las ac euraid. Ond roedd y bar bwyd 'run fath ag yn eu hen ysgol ac roedd digon o fyfyrwyr uchel eu cloch o amgylch y byrddau crwn i atgoffa Erin mai mewn ysgol roedd hi.

"Dyma ni!" Sodrodd Fflur a Ffion ddau hambwrdd ar y bwrdd ac eistedd un bob ochr i Erin.

"Pawb i helpu'u hunain," ychwanegodd Ffion gan rannu platiau a gwthio mygaid o de a diod oren i gyfeiriad Erin. "Wyddwn i ddim be wyt ti'n hoffi'i yfed," ychwanegodd. "Cacen?" cynigodd i Dan. "Ty'd 'laen. Maen nhw'n edrych yn dda iawn! Daethon ni â digon i bawb."

"Iawn. Diolch." Cymerodd Dan ddarn o gacen siocled. "Wyt ti wedi gweld y daflen amser?" gofynnodd i Erin. Ysgydwodd hithau ei phen wrth fwyta'i chacen.

"Dwi'n meddwl eu bod nhw ar wal y neuadd," meddai Ffion wrtho.

"Iawn. A' i i weld," meddai Dan, gan lyncu ei gacen a sefyll ar ei draed. "Dwi isio gweld pryd mae 'ngwers ddrymio gynta i. Gwela i chi eto. Mae'n dda gen i eich cyfarfod chi," meddai'n drwsgl wrth yr efeilliaid.

"Ydi o mor awyddus i fynd i wersi bob amser?" gofynnodd Fflur wrth wylio Dan yn gwau'i ffordd rhwng y byrddau ac allan o'r stafell.

"Dim ond gwersi drymio, dwi'n meddwl," meddai Erin.

"Does dim byd o'i le mewn hoffi gwersi," meddai Ffion.

Chwarddodd Fflur. "Mae'n iawn arnat ti," meddai wrth ei chwaer. "Rwyt ti'n dda am eu gwneud nhw! Dewch 'laen," ychwanegodd, "bydd y cyfarfod yn dechrau unrhyw funud. Byddai'n well inni fynd."

Doedd dim angen dilyn yr arwyddion. Dilynodd y genethod res o fyfyrwyr newydd ar eu ffordd i mewn i'r theatr. Dim ond rhyw ddau ddeg pump o rai blwyddyn saith, yn cynnwys Erin a'r efeilliaid, oedd yno. Yn hen ysgol Erin roedd chwech o ddosbarthiadau yn y flwyddyn gynta, ond yma mae'n debyg mai dim ond un oedd 'na. Wrth iddi edrych o'i chwmpas a gweld cyn lleied o ddisgyblion, sylweddolodd Erin mor lwcus oedd hi i gael lle ym Mhlas Dolwen.

Roedd y theatr yn newydd ac yn fodern iawn. Edrychai'r rhesi o seddau yn gyfforddus a'r goleuadau uwchben y llwyfan yn broffesiynol iawn. Dechreuodd calon Erin guro'n gyflymach wrth syllu ar y llwyfan. Rhyw ddiwrnod, cyn bo hir, byddai hi'n perfformio yn fan'na. Gorau po gynta, wir!

Cerddodd Mrs Powell, y pennaeth, ar y llwyfan a thawelodd y parablu.

"Croeso i Blas Dolwen," meddai hi gan wenu ar bawb. "Gobeithio bod pob un ohonoch chi wedi mwynhau eich te a'ch bod chi'n dechrau ymgartrefu. Gan mai dim ond lle ar gyfer dau gant o fyfyrwyr sydd yma, dan ni'n fwy fel teulu nag ysgol. Ond dydi hynny ddim yn golygu nad ydan ni'n disgwyl i chi weithio'n galed! Bydd yr athrawon yn rhoi graddau i chi ar gyfer yr holl bynciau arferol, fel unrhyw ysgol arall ..." Yna oedodd am eiliad cyn ychwanegu, "Ond byddan nhw hefyd yn rhoi graddau a marciau i chi am eich ymdrechion cerddorol. Bydd pob gwers gerdd a phob darn o waith creadigol yn cael ei asesu a'r marciau i gyd yn dangos sut byddwch chi'n datblygu. Byddwch chi hefyd yn perfformio'n rheolaidd mewn cyngherddau ysgol a'ch cyd-fyfyrwyr yn cael cyfle i roi marciau i chi hefyd. Ar sail cyfanswm marciau bob tymor ar ddiwedd y flwyddyn ysgol, bydd yr athrawon yn dewis y myfyrwyr mwya dawnus i berfformio mewn cyngerdd arbennig – *Cyngerdd Sêr y Dyfodol.*"

"*Bydda i'n un ohonyn nhw,*" meddai Erin wrthi'i hun, yn llawn cyffro. "*Mewn chwinciad chwannen!*"

Ond doedd Mrs Powell ddim wedi gorffen. "Mae'r cyngerdd *Sêr y Dyfodol* blynyddol yn bwysig oherwydd ei fod yn cael ei ddangos ar deledu lleol, a phobl y P&D yn ei wylio gyda diddordeb mawr."

Aeth si o leisiau cyffrous drwy'r theatr. Roedd Erin wedi clywed am P&D er nad oedd hi'n gwybod beth oedd ystyr y llythrennau, ond *teledu*! Roedd hi'n dyheu am gael tecstio Sara. Dyna falch fyddai ei rhieni petai hi'n llwyddo i fod ar y teledu! Byddai'n rhaid iddi weithio'n galed yn y gwersi canu a pherfformio'n wirioneddol dda ym mhob cyngerdd er mwyn ennill tomen o'r marciau *Sêr y Dyfodol*'na.

"Y cyngerdd Nadolig ar ddiwedd y tymor yma fydd y cyngerdd ysgol cynta, felly does gynnoch chi ddim ond ychydig wythnosau i ymarfer."

Chlywodd Erin fawr o weddill y sgwrs am ei bod hi mor gyffrous ynghylch y cyngerdd, felly roedd hi'n falch pan glywodd Mrs Powell yn dweud, "Cewch chi fynd yn ôl i'ch tai rŵan. Cofiwch fynd â'ch taflenni amser o'r neuadd a pheidiwch ag anghofio edrych ar yr hysbysfwrdd i gael gwybod pa bryd fydd eich gwersi unigol. Hwyl fawr i chi i gyd. Gobeithio y byddwch yn mwynhau eich cyfnod ym Mhlas Dolwen."

Roedd pawb yn siarad pymtheg y dwsin wrth wthio allan o'r neuadd.

"Be ydi pobl y P&D?" gofynnodd Erin i Ffion.

"Perfformwyr a'u Deunydd. Sgowtiaid talent ydyn nhw," meddai Ffion. "Maen nhw'n gweithio i gwmnïau recordio a phawb yn gobeithio tynnu'u sylw nhw."

"Waw!" Roedd pen Erin yn llawn gobeithion a chynlluniau ar gyfer ei pherfformiad yn y cyngerdd cynta. Beth wnâi hi? Canu'r gân ganodd hi yn y gwrandawiad neu ofyn i'w hathro canu ei helpu hi i ddewis un newydd?

"Wyt ti'n cofio sut roedden ni'n crynu yn ein sodlau ar ddiwrnod y gwrandawiad?" meddai Fflur fel roedden nhw'n mynd drwy'r brif neuadd.

"Fedra i ddim credu dy fod *ti* yn crynu yn dy sodlau!" meddai Erin, wrth gofio gweld yr efeilliaid yn dod yn hyderus i lawr y grisiau. "Wedi'r cyfan, mae 'na ddwy ohonoch chi a dach chi mor enwog yn barod."

"Nid am ganu," meddai Fflur. "Roedden ni'n poeni'n ofnadwy mai dim ond un ohonon ni fyddai'n cael ei derbyn. Wn i ddim *be* fydden ni wedi'i wneud petai hynny wedi digwydd."

"Edrych, Erin! Y peth cynta bore fory mae dy wers ganu di!" meddai Ffion, gan ddarllen y rhestr ar yr hysbysfwrdd. "Cyn cofrestru mae d'un di ac mae'n un ni ddydd Mawrth."

Cydiodd pawb mewn taflen amser blwyddyn saith a chraffu arnyn nhw ar eu ffordd i'w stafelloedd.

"Dawns, tri chyfnod yr wythnos," meddai Fflur yn falch. "Cyfansoddi caneuon, un cyfnod yr wythnos. Dwi'm yn meddwl y bydda i'n dda iawn am wneud hynny."

"Technoleg cerddoriaeth," darllenodd Erin. Cofiodd am y stiwdio recordio ddiddorol welson nhw wrth fynd o amgylch yr ysgol ar ddiwrnod y gwrandawiad. "Gwych!"

Roedd hi'n hwyl dadbacio efo'i gilydd, er bod Llywela'n cwyno ac yn grwgnach bob hyn a hyn. Gwelodd Erin fod Fflur a Ffion wedi dod â theganau meddal efo nhw a phan roddodd hyd yn oed Llywela hen dedi ar ei gobennydd, gallai Erin ddod â'i thegan hi i'r golwg. Mwnci oedd o – anrheg gan ei nain pan oedd hi'n eneth fach. Pan ddaeth Mrs

Prydderch, yr athrawes a ofalai am bawb yn Fron Dirion, eu tŷ nhw, i mewn i ddweud "nos da", roedden nhw i gyd yn dal i chwerthin a sgwrsio.

"Ewch i'ch gwelyau, rŵan, enethod," meddai hi. "Bydd y gloch yn canu am saith o'r gloch y bore a dach chi ddim eisio bod wedi blino ar eich diwrnod cynta."

Diffoddodd eu golau a gwrandawodd Erin ar sŵn ei thraed yn mynd ar hyd y coridor i'r stafell nesa. Roedd cymaint wedi digwydd ers iddi gyrraedd. Prin y medrai hi gredu ei bod hi'n cysgu yn yr un stafell â'r efeilliaid enwog, Fflur a Ffion. Roedd y tair ohonyn nhw'n cyd-dynnu mor dda ac roedd Erin yn sicr y bydden nhw'n ffrindiau mawr. Rywsut, teimlai fel petaen nhw'n adnabod ei gilydd ers hydoedd. Roedd hi'n berwi o gyffro hefyd wrth feddwl am ei gwers ganu gynta yn y bore. O'r diwedd, roedd ei holl obeithion i bobl ei chymryd hi o ddifri fel cantores ar fin dod yn wir.

4. Gwers Ganu

Erbyn hanner awr wedi saith fore trannoeth, roedden nhw yn y stafell fwyta yn dewis beth i'w gael i frecwast. Newydd eistedd oedd pawb pan gyrhaeddodd Dan.

"Gawn ni eistedd efo chi?" gofynnodd. Roedd bachgen gwalltgoch a gwên fel clown ar ei wyneb o efo Dan.

"Iawn," meddai'r efeilliaid ar yr un gwynt a gwenodd Erin ar Dan.

"Ffrind Erin, Dan," eglurodd Ffion i Llywela oedd yn eistedd efo nhw.

"Collwyn ydi hwn. Dan ni'n rhannu stafell," meddai Dan fel roedd y ddau yn eistedd.

"*Collwyn!*" meddai Llywela, gan droi ei thrwyn yn ddirmygus. "Sôn am enw hurt!"

"Wel … a dweud y gwir, y rhan amlaf mae pawb

yn 'ngalw i'n ..."

"Efo'r gwallt hurt yna byddai'n well iddyn nhw dy alw di'n Cochyn."

Daliodd Erin ei hanadl. Dyna beth oedd llysenw addas ... ond roedd Llywela yn greulon iawn yn ei awgrymu. Beth petai'r bachgen yn groendenau ynghylch ei wallt? Felly roedd rhai pobl. Ond doedd dim rhaid iddi boeni. Chwerthin wnaeth Collwyn, gan wneud i'w wallt fflamgoch sboncio fel mop wrth i'w ben ysgwyd.

"Da iawn, rŵan!" meddai. "Ond cest ti wybod f'enw iawn i i ddechrau. Mae'r rhan fwya o bobl yn meddwl am y llysenw cyn iddyn nhw glywed hwnnw hyd yn oed. Felly doeddet ti ddim mor glyfar â hynny. Dwi'n ei ddefnyddio fo fel enw llwyfan − Cochyn Sboncyn. Mae'n dda gen i dy gyfarfod di!"

Ceisiodd Collwyn ysgwyd ei llaw yn hwyliog ond plethodd Llywela ei breichiau ac edrych yn gas iawn arno. Clyfar iawn, meddyliodd Erin, wrth ei bodd fod Llywela wedi cael llymaid o'i ffisig ei hun. Eitha gwaith iti am fod mor annymunol!

"Iawn, os mai fel'na 'tisio bod," meddai Cochyn

gan godi'i ysgwyddau ac ysgwyd llaw pawb arall, ei wallt rhyfeddol yn sboncio ac yn neidio i bob man.

"Mae'n dda gen i eich cyfarfod chi," meddai wrth bawb, yn swnio'n sobor o hen ffasiwn ac yn ddoniol tu hwnt. Ond roedd Erin yn edrych ar y cloc bron bob yn ail eiliad erbyn hyn ac wedi mynd i ddechrau teimlo'n nerfus.

"Mae'n rhaid imi fynd," meddai gan neidio ar ei thraed a gadael ei brecwast ar ei hanner. "Gwela i chi'n nes ymlaen. Mae gen i wers ganu rŵan." Roedd yr ieir bach yr haf yn ôl, yn hedfan tu mewn i'w stumog.

Doedd hi ddim wedi anghofio'r ffordd i stafell Mr Parri, ond petrusodd tu allan. Y tro diwethaf iddi fod yno oedd ar ddiwrnod y gwrandawiad. Ar un ystyr, roedd y diwrnod hwnnw wedi bod yn drychinebus, ond er ei bod hi wedi gwneud llanast o'r gwrandawiad roedd hi wedi cael ysgoloriaeth, a dyma lle'r oedd hi, ar y ffordd i fod yn gantores go iawn. Dyma ddechrau'r cyfle mawr y disgwyliodd hi mor hir amdano. Roedd yn *rhaid* iddi wneud yn fawr ohono. Cymerodd anadl ddofn, rhoddodd gnoc ar y drws a cherddodd i mewn.

Roedd gan Mr Parri wallt golau, hir yn syrthio dros ei lygaid glas, glas. Roedd o tua'r un oed â'i rhieni ac yn dipyn o bisyn. Rai blynyddoedd yn ôl, roedd o'n ganwr pop ei hun, ond erbyn hyn roedd o wedi rhoi'r gorau i berfformio er mwyn bod yn athro. Roedd gan fam Erin rai o'i ddisgiau yn y tŷ ac roedd hi wedi chwilio amdanyn nhw i'w dangos i Erin. Dyna ryfedd oedd gweld llun ei hathro ar glawr cryno ddisg!

"Mae'n dda gen i dy weld di eto, Erin," meddai wrthi. "Wyt ti wedi dechrau ymgartrefu'n iawn yma?"

Nodiodd Erin. "Ydw, diolch."

"Rho funud i mi gael darllen dy nodiadau di."

Edrychodd Erin o amgylch y stafell tra oedd o'n darllen y nodiadau yn ei ffeil. Roedd hi'n cofio'r piano anferth a'r gyfeilyddes, Mrs Jones. Cododd Mrs Jones ei golygon oddi ar y llyfr a ddarllenai a gwenu'n glên ar Erin.

Dyna hardd oedd y stafell, yn eitha mawr efo ffenestri hirion a nenfwd uchel. Roedd y rhan fwyaf o'r llawr pren prydferth wedi'i orchuddio â charped gwyrdd trwchus ac yn y pen draw roedd drych hir a pheiriant dŵr. Wrth ymyl y piano roedd silff a system stereo ddrud yr olwg arni.

"Mae'n dweud yn fan'ma nad wyt ti ddim wedi cael gwersi llais o'r blaen," meddai Mr Parri. "Paid â phoeni," ychwanegodd pan welodd yr olwg ar ei hwyneb. "Dydi hynny ddim yn bwysig ac mae'n golygu na fyddi di'n cwyno nad ydw i cystal â dy hen athro!" Gwenodd i geisio gwneud iddi deimlo'n gartrefol. Ymlaciodd Erin dipyn bach a gwenu'n ôl.

"Iawn. Mae 'na un neu ddau o betha cyn inni ddechrau. Mae'n debyg iti sylwi ar y peiriant dŵr draw yn fan'cw. Mae rhai pobl yn hoffi cael diod wrth eu hymyl pan fyddan nhw'n canu. Dydi rhai eraill ddim. Waeth gen i'r naill ffordd neu'r llall. Y cyfan dwi'n ofyn ydi i ti, os wyt ti eisio diod, tywallt y dŵr ar ddechrau'r wers a gadael iddo ddod i dymheredd y stafell cyn iti ei yfed. Mae'n well i dy lais felly."

Petrusodd Erin. Wyddai hi ddim fyddai hi eisio diod ai peidio.

"Beth am iti fynd i estyn cwpanaid beth bynnag?" meddai Mr Parri wrth weld ei hansicrwydd. "Fydd dim ots os na fyddi di ei eisio fo." Felly aeth Erin draw at y peiriant dŵr a llenwi cwpan papur.

"Rho fo ar y mat bach yn fan'na," dangosodd iddi. "Paid â'i roi'n syth ar y piano neu byddwn ni'n ei chael hi gan Mrs Jones!" Gwenodd Mrs Jones ar Erin drachefn a gwenodd Erin yn ôl yn ansicr.

"Gad inni hymian tipyn," meddai Mr Parri. "Mae'n bwysig cynhesu'r llais cyn ei ddefnyddio ac mae hymian yn ymarfer da i ddechrau." Nodiodd ar Mrs Jones a chwaraeodd hithau gord ar y piano. "Gwna i hymian efo ti."

Bu'r ddau yn hymian gyda'i gilydd i fyny ac i lawr, ychydig o nodau ar y tro. Dechreuodd Erin fwynhau'i hun. Roedd hyn yn hwyl. Bob hyn a hyn daliodd ati ar ei phen ei hun tra oedd Mr Parri yn ei chynghori. "Ymlacia. Cadw d'ysgwyddau i lawr. Dyna dda."

Erbyn iddyn nhw roi'r gorau i hymian, roedd gwefusau Erin yn tincian. Cymerodd lymaid o ddŵr, gan deimlo'n brofiadol ac yn broffesiynol iawn.

"Iawn. Gad inni ganu tipyn o raddfeydd i'm hatgoffa i pa mor uchel ac isel y medri di fynd. Canu pob nodyn fel mae Mrs Jones yn ei chwarae. Deall? Paid â gwthio dy lais. Taw os byddi di'n methu cyrraedd rhai nodau."

Wel, doedd hynny ddim yn swnio'n rhy anodd. Roedd hi wedi gwneud hynny o'r blaen. Dyna hi'n canu la-la-la i fyny'r graddfeydd fel roedd Mrs Jones yn eu chwarae nhw ar y piano. Aeth yn ei blaen yn weddol dda ond o'r diwedd bu'n rhaid iddi dewi.

Cydiodd Mr Parri mewn beiro ac ysgrifennu rhywbeth yn ei ffeil ar ben y piano.

"Siort ora!" meddai. "Rwyt ti'n canu'n dda i fyny'r raddfa. Gad inni roi cynnig ar fynd i lawr."

A dyna wnaethon nhw ac roedd Mr Parri wedi'i blesio fwy fyth. "Iawn!" meddai wrth sgwennu pwt bach arall. "Da iawn a dweud y gwir. Rwyt ti medru canu'n uchel ac yn isel yn gywir a tharo'r nodau yn eitha cywir hefyd. Fedri di ddarllen cerddoriaeth?"

Ysgydwodd Erin ei phen yn boenus. "Na fedra."

"Dim ots," meddai. "Dim ond meddwl oeddwn i. Gad inni weld pa mor gywir wyt ti wrth inni daro nodyn yma ac acw … Ie, da. Mae hynna'n dda iawn," meddai fel roedd y nodau'n dod heb drefn iddi hi eu canu nhw.

Gwenodd Erin. Roedd hyn yn haws nag roedd hi wedi'i ofni ond doedd Mr Parri ddim yn gwenu erbyn hyn. A dweud y gwir, edrychai braidd yn bryderus.

"Dim ond un peth," meddai. "Pam wyt ti'n canu o dy wddw yn unig?"

Doedd Erin ddim yn deall. Dyna oedd pawb yn ei wneud, yntê? Beth arall oedd hi i fod i'w wneud?

Ond nid jôc oedd hi. O'r olwg ar ei wyneb, roedd hi'n amlwg fod Mr Parri yn meddwl bod Erin yn gwneud rhywbeth mawr iawn o'i le!

5. Problem Erin

"Ella dy fod ti'n canu o dy wddw am dy fod ti'n nerfus," awgrymodd Mr Parri i Erin. "Ond fedri di ddim cael digon o nerth i ganu fel'na. Mae angen iti fedru canu'n uwch o lawer i mi. *Wyt* ti'n teimlo'n nerfus?"

"Dipyn bach," cyfaddefodd. Ond doedd hi ddim tra oedd hi'n canu. Roedd hi wedi anghofio'i nerfusrwydd ac wedi bod yn mwynhau'r hymian a'r graddfeydd. Roedd hi'n nerfus rŵan am fod Mr Parri yn anhapus efo sut roedd hi'n canu.

"Gad inni roi cynnig ar hwiangerdd," awgrymodd. "Ella dy fod ti wedi bod yn poeni gormod am gael y traw yn iawn. Wyt ti'n cofio *Dacw Mam yn dŵad*? Cana hi nerth esgyrn dy ben! Morio canu, deall? Cymer arnat dy fod ti'n ei chanu hi i hogyn bach yn sefyll yn y pen draw yn fan'cw wrth ymyl y drych!"

Edrychodd Erin ar y drych. Ceisiodd ddychmygu canu i Dion, ond petai o yno byddai wedi rhedeg ar hyd y stafell a lluchio'i freichiau am ei phengliniau. Rŵan roedd hi'n nerfus *ac* roedd arni hi hiraeth.

"Ty'd yn dy flaen, Erin," anogodd Mr Parri. "Paid â phoeni am ganu mewn tiwn. Rho dipyn o gic ynddi hi!"

Y drwg oedd nad oedd Erin ddim wedi canu nerth esgyrn ei phen ers pan oedd hi'n wyth oed a'r athrawes yn yr ysgol gynradd wedi ei rhwystro rhag canu yn y côr. Doedd llais Erin ddim yn mynd efo lleisiau'r plant eraill yn y dosbarth, meddai hi. Mewn ffordd, roedd hi'n iawn. Doedd llais Erin ddim yn debyg i'r lleill – yn un peth, roedd ganddi fwy ohono o lawer. Roedd o'n gryfach ac yn uwch hefyd. Nid canu allan o diwn oedd hi.

Roedd pethau bron cynddrwg gartref. Wedi i Dion gael ei eni châi Erin ddim canu'n uchel rhag deffro ei brawd bach. Dros y blynyddoedd roedd hi wedi colli'r arfer o ganu'n uwch na sibrwd. Oedd hi wedi anghofio sut i ganu'n uchel?

"Ty'd yn dy flaen, Erin" meddai Mr Parri. "Nerth

esgyrn dy ben!"

Gwnaeth ei orau ond gwingodd yr athro.

"Gweiddi wyt ti rŵan," cwynodd, "a dydi hynny hyd yn oed ddim yn uchel iawn!"

"Mae'n ddrwg gen i," meddai Erin. Roedd hyn yn ddychrynllyd. Sut medrai hi godi ei llais yn uwch? Doedd ei gwers ganu gynta ddim yn mynd yn dda o gwbl.

"Popeth yn iawn," meddai Mr Parri. "Paid â chynhyrfu, ond bydd yn rhaid iti weithio ar hyn. Mae'n rhaid iti gael nerth yn dy lais yn ogystal â medru canu'n uchel ac yn isel yn ardderchog er mwyn canu'n broffesiynol. Hyd yn oed efo meic, i gael gwir fynegiant mewn cân mae angen medru canu'n dawel ac yn gryf hefyd."

Nodiodd Erin yn ddigalon.

"Mae hi bron yn amser i'r gwersi ysgol ddechrau," meddai gan edrych ar ei oriawr. "Dan ni ddim wedi gwneud gymaint ag yr oeddwn i wedi'i obeithio ond paid â phoeni. Fyddi di'n canu'n uchel weithiau?"

Ysgydwodd Erin ei phen. "Dim ond gartref fyddwn i'n canu am fod f'athrawes yn yr ysgol gynradd, Mrs Gruffydd, yn dweud nad oedd fy llais i'n siwtio'r côr. Ac mae'n rhaid imi fod yn ddistaw rŵan oherwydd fy mrawd bach," eglurodd.

Ysgydwodd Mr Parri ei ben. "Druan â thi! Wel, mae rhai pobl yn defnyddio gewynnau eu boliau yn reddfol wrth ganu, ond dim ond o dy wddw wyt ti'n gwneud. Paid â phoeni. Dealli di toc. Mae'n rhaid iti ddysgu gewynnau dy fol i wthio'r aer allan o dy ysgyfaint. Dyna dy broblem di. Dydi gorfod canu'n ddistaw drwy'r adeg ddim wedi bod o help i ti, baswn i'n meddwl, ond yma cei di ganu mor uchel fyth ag wyt ti eisio! A dyma pam dwi yma, i gael gwared â phroblemau. Unwaith y cawn ni wared â hyn, medrwn ni fynd ymlaen at betha mwy cyffrous." Gwenodd arni.

"Y peth pwysicaf un ydi iti beidio rhoi straen ar dy lais wrth ymdrechu'n rhy galed. Paid â gwneud gormod. Y cyfan dwi eisio iti wneud ydi meddwl o ble mae'r sŵn yn dod. Dylai o ddod o ganol dy berfedd di. Os rhoi di dy law ar dy fol tra wyt ti'n canu, dylet ti fedru teimlo'r gewynnau'n gweithio. Iawn?

Nodiodd Erin yn ansicr.

Daeth cnoc ar y drws a chaeodd Mr Parri ffeil Erin. "Paid â phoeni am y peth," meddai. "Cofia mai'r wers gynta yn unig oedd hon. Wela i di'n nes ymlaen yn ystod yr wythnos."

Roedd yn rhaid i Erin ruthro'n ôl i gofrestru yn Fron Dirion. Teimlai'n ofnadwy. Enwogrwydd? Roedd trychineb yn nes ati!

Bu'n rhaid iddi weithio mor galed i argyhoeddi ei rhieni mai canu oedd ei phethau hi. Cyn cyrraedd Plas Dolwen o'r diwedd, roedd hi wedi cael helynt a hanner i'w hargyhoeddi nhw i adael iddi fynd i'r cyfweliad a'r gwrandawiad. Ac i beth? Dim ond i ddarganfod na fedrai hi ddim canu'n iawn …

Peidio poeni. Dyna ddywedodd Mr Parri. Peidio poeni, wir! Sut mewn difri calon y medrai hi beidio? Beth petai hi'n methu cael llais iawn mewn pryd i ganu yn y cyngerdd? Roedd arni hi angen pob un o'r marciau *Sêr y Dyfodol* 'na, ond erbyn hyn roedden nhw'n edrych fel petaen nhw filoedd o filltiroedd i ffwrdd. Yna, meddyliodd am rywbeth gwaeth hyd yn oed. Beth petai ei llais hi *byth* yn dod yn iawn? Na! Doedd fiw iddi hyd yn oed feddwl hynny.

Ei huchelgais oedd wedi dod â hi i Blas Dolwen. Uchelgais a phenderfyniad. Cymerodd anadl ddofn a phenderfynu y *byddai* hi'n canu'n wych yn y cyngerdd, beth bynnag ddigwyddai. Roedd digon o amser tan hynny. Byddai hi'n sicr o ddarganfod ffordd. Efallai y byddai ei ffrindiau yn gallu ei helpu cyn y wers nesa. Doedd cynhyrfu ddim yn syniad da, felly gwthiodd ei hofnau cudd draw cyn belled ag y medrai, i gornel bell, dywyll ym mhen draw ei meddwl ac aeth i ymuno â'r lleill i gofrestru.

"Sut hwyl gest ti?" holodd Fflur, yn eistedd wrth ei desg.

"Go lew. Braidd yn siomedig," atebodd Erin, ddim eisiau cyfaddef iddi fod yn fethiant llwyr. "Roeddwn i eisio gofyn pa gân fedrwn i ei chanu yn y cyngerdd ond roedd Mr Parri fel tiwn gron yn dweud nad oeddwn i ddim yn defnyddio'r gewynnau iawn wrth ganu."

"Pam wyt ti yn yr ysgol yma os na fedri di ganu'n iawn?" holodd Llywela yn gas.

"Paid â gwrando arni hi," meddai Fflur wrth Erin gan edrych yn hyll iawn ar Llywela. "Chwarae gitâr fas mae hi. Dim ond rhywbeth bach ychwanegol ydi canu i Llywela. Dydi hi'n gwybod dim byd am ganu. Does ganddi hi ddim syniad am be mae hi'n sôn."

"Paid â phoeni," ychwanegodd Ffion. "Cofia mai'r wers gynta oedd hi. Dydi'r cyngerdd ddim am hydoedd. Mae gen ti ddigon o amser i ddewis cân a dwi'n siŵr y bydd Mr Parri yn medru cael trefn ar dy lais di."

"Fydd o?" gofynnodd Llywela yn amheus.

Edrychodd Ffion arni'n flin ond chymerodd Llywela ddim mymryn o sylw. "Os na fedri di ganu'n iawn," ychwanegodd yn sbeitlyd a difrifol, "fyddi di *byth* yn un o *Sêr y Dyfodol*!"

6. Wythnos Siomedig

Rywsut, roedd yn rhaid i Erin geisio anghofio siom ei gwers ganu gynta a chanolbwyntio ar weddill y diwrnod ysgol. Roedd ei thaflen amser yn llawn o wersi cyffredin yn ogystal â'r rhai ychwanegol. Ar ôl te roedd cyfnod o waith cartref yn cael ei arolygu yn y stafell waith cartref yn nhŷ Fron Dirion ac erbyn amser gwely roedd pawb wedi ymlâdd.

"Mae ein gwers ganu gynta *ni* fory!" meddai Fflur fel roedden nhw'n mynd i'r gwely.

"Roedd Huwcyn ap Siôn Ifan yn gwrando arna i'n cael gwers gitâr fas!" broliodd Llywela. "Ella y bydd o'n cyfansoddi rhywbeth i mi ei chwarae yn y cyngerdd!"

"Pan fydd Dolig yn yr haf a gwsberis yn y gaeaf!" atebodd Fflur y munud hwnnw. Cododd Erin ei dwfe dros ei chlustiau a chaeodd ei llygaid. Byddai'n rhaid iddi gael trefn ar ei chanu yn fuan iawn neu byddai hi filltiroedd ar ôl y lleill.

Ond ar ôl amryw o wersi lleisiol, doedd Erin ddim mymryn gwahanol, er gwaethaf yr ymarferion anadlu roedd Mr Parri wedi gofyn iddi'u gwneud. Mewn un wers daeth â darlun gyda'r ysgyfaint, y diaffram a gewynnau'r stumog wedi eu marcio arno i'w ddangos iddi.

"Gwna'r ymarferion anadlu eto efo dy law ar dy fol," meddai wrthi'n amyneddgar. Gwnaeth hithau hynny a llacio'i gewynnau wrth anadlu i mewn drwy'i thrwyn, a'u teimlo'n tynhau fel roedd hi'n gwthio'r aer allan drwy'i cheg.

"Dyna beth ddylai ddigwydd pan wyt ti'n canu," atgoffodd hi.

Ond teimlai Erin yn rhwystredig. "Fedra i ddim!" atebodd yn bigog. "Dwi'n poeni gormod am be dwi'n mynd i ganu yn y cyngerdd."

Plethodd Mr Parri ei freichiau a phwysodd yn erbyn y piano. "Mae cael trefn ar dy lais yn llawer pwysicach na meddwl am berfformio," meddai. "Bydd 'na gyngherddau eraill … pan fyddi di wedi dysgu defnyddio dy lais yn gywir."

Dychrynodd Erin am ei bywyd. "Ond mae'n *rhaid* i mi ganu yn y cyngerdd," meddai hi. "Fiw i mi ei golli o!"

"Gwranda di arna i," meddai yntau. "Mae gen ti'r gallu i fod yn gantores ardderchog ond chei di ddim byd ond helynt os byddi di'n trio perfformio rŵan. Mae'n rhaid iti gael y dechneg yn gywir i ddechrau. *Wedyn* cei di ganu mewn cyngherddau. Paid hyd yn oed â meddwl am y peth, ac yn sicr, paid â sôn am y peth chwaith."

Aeth Erin drwy weddill y wers fel petai mewn niwl. Peidio canu yn y cyngerdd? Roedd yn *rhaid* iddi ganu. Roedd *pawb* yn perfformio. Byddai'n marw o gywilydd petai Mr Parri yn ei rhwystro rhag cymryd rhan. Gallai ddychmygu beth ddywedai Llywela. A beth am y marciau *Sêr y Dyfodol* pwysig?

Ar ddiwedd y wers, gwthiodd y drws i'r ardd fach gerllaw ar agor. Doedd arni ddim awydd mynd at ei ffrindiau ac roedd hi wedi dianc i'r lle yma o'r blaen, pan aeth popeth o'i le ar ddiwrnod y gwrandawiad.

Gan ei bod hi mor bendrist, sylwodd hi ddim fod rhywun yn eistedd ar y fainc nes roedd hi hanner y ffordd ati. Dyna lle'r oedd Huwcyn ap Siôn Ifan, pennaeth yr adran roc, yn eistedd yn ei hoff lecyn, wrthi'n trwsio hen gitâr. Cododd ei ben a gwenu.

"Wel, helo, Erin fy hen ffrind! Sut hwyl sydd?"

Brathodd Erin ei gwefus. Fedrai hi ddim cymryd arni fod popeth yn iawn wrth Huwcyn o bawb. Fo oedd wedi ei helpu hi ar ddiwrnod y gwrandawiad. Os oedd hi'n mynd i rannu ei gofidiau efo unrhyw un, Huwcyn ap Siôn Ifan oedd yr un i'w ddewis.

"Does fawr o hwyl arna i a dweud y gwir," cyfaddefodd. "Ond dwi wedi bod eisio'ch gweld chi i ddiolch i chi am fy helpu i gael lle yma."

"Paid â sôn!" meddai Huwcyn yn ddidaro. "Chdi gafodd y lle. Nid fi. Wyt ti am ddod i fan'ma ata i?" ychwanegodd. "Dim ond rhoi llinynnau newydd ar fy hen ffrind ydw i. Byddai'n braf cael cwmpeini."

Aeth Erin at y fainc a symudodd yntau draw i wneud lle iddi eistedd. Rhwbiodd y gitâr â'i law frown grychlyd.

"Mae hon gen i ers pan oeddwn i fawr hŷn nag

wyt ti," meddai. "Wn i'n iawn nad ydi hi'n fawr o beth i edrych arni bellach, ond hi ydi fy ffrind hyna i. Yn syth wedi imi ennill llawer o arian, prynais i amryw o gitarau drud, y rhai gorau oedd ar gael ar y pryd, ond rywfodd mae'r hen chwaer yma wedi aros efo fi drwy ddŵr a thân."

Edrychodd Erin ar yr offeryn yn ei law. Doedd hi ddim yn edrych yn arbennig o gwbl. Roedd hi'n grafiadau drosti ac ôl gwisgo arni. Roedd y patrymau – a fu'n llachar unwaith mae'n debyg – wedi hen golli eu lliwiau a'r llinynnau roedd o wedi'u tynnu yn bentwr cordeddog ar y llawr.

"Ella y byddai'n well petawn i'n chwarae offeryn," ochneidiodd Erin.

"Roeddwn i'n meddwl fod d'offeryn di yn glyd ac yn dwt yn dy focs llais di," meddai Huwcyn. "Does dim rhaid i ti brynu llinynnau i wneud i hwnna weithio'n iawn."

"Ond dwi ddim yn medru cael fy llais i weithio o *gwbl*," meddai Erin a'i llais yn crynu wrth siarad, ond roedd hi'n benderfynol o beidio crio. Roedd hi wedi cael benthyg un o hancesi poced anferth Huwcyn ap Siôn Ifan i sychu'i dagrau unwaith o'r blaen a doedd hi ddim eisiau iddo orfod chwilio am un arall.

Eglurodd fod ei llais yn mynd yn ddistawach ac yn ddistawach yn lle mynd yn gryfach ac yn gryfach fel roedd Mr Parri eisiau. Dywedodd hanes ei hathrawes ysgol gynradd wrtho hefyd, a bod Mr Parri yn meddwl mai honno oedd wedi difetha'i hunanhyder.

"A rŵan, os na fedra i ganu'n iawn, mae Mr Parri yn dweud na cha i ddim cymryd rhan yn y cyngerdd!" Caeodd ei cheg yn glep. Roedd hynny'n beth *mor* ofnadwy i'w gyfaddef.

Wrth iddi siarad, daliai Huwcyn ap Siôn Ifan ati i weithio ar ei gitâr. Ddywedodd o'r un gair tra oedd o'n gosod y llinyn olaf yn ei le ac yn ei dynhau. O'r diwedd, tynnodd ei fysedd ar eu hyd nes bod y sŵn yn sibrwd drwy'r ardd ddistaw.

"Mae angen chwyddo dy lais di," cyhoeddodd o'r diwedd. "Dyna ydi'r broblem. Fel fy hen ffrind i yn fan'ma, mae angen iti gysylltu dy lais â pheiriant chwyddo llais cyn y medri di berfformio."

"Oes," meddai Erin, "ac mae Mr Parri wedi egluro

ynghylch gewynnau ac yn y blaen i mi, ond fedra i ddim canu'n uchel chwaith."

"'Sgwn i pam?" gofynnodd Huwcyn wrth diwnio'i gitâr.

"Wn i ddim," meddai Erin yn ddigalon.

"Ydi babi angen dysgu sut i ddefnyddio gewynnau cyn medru crio?" gofynnodd, a'i lygaid brown yn edrych i fyw ei llygaid hi am y tro cynta.

Ysgydwodd Erin ei phen. "Nac ydi, mae'n debyg."

"Wel dyna ti. Mae gen ti'r llais. Mae gen ti'r corn chwyddo. Mae dy gorff yn gwybod sut i'w defnyddio nhw ond mae dy feddwl di'n ymyrryd. Mae angen iti ymlacio tipyn. Cymryd petha'n ara deg. Mae gen ti ddigonedd o amser – ella nad wyt ti'n sylweddoli hynny." Gwenodd. "Edrych di ar fy hen ffrind i yn fan'ma. 'Sgen i ddim syniad faint o weithiau y lluchiais i hi ar draws stafell pan oeddwn i'n ifanc – am na fedrwn i ddim ei chael hi i wneud y sŵn roeddwn i eisio. Ers talwm, roeddwn inna'n uchelgeisiol ac roedd hynny'n rhwystr i mi'n aml. Weithiau roeddwn i'n meddwl na fedrwn i ddim chwarae am fod fy nwylo wedi anghofio sut i fod yn ddyfeisgar. Roedd petha'n gwella bob amser wedi imi ymlacio. Cofia di ei bod hi'n amhosib creu cerddoriaeth pan fydd dy du mewn di'n crensian o ddicter neu ofn."

"Ond mae'n *rhaid* i mi gael fy llais i weithio neu fydda i dim yn medru canu yn y cyngerdd," protestiodd Erin.

Edrychodd Huwcyn i gannwyll ei llygaid.

"Bydd 'na lawer iawn o adegau pan na chei di ddim be wyt ti eisio drwy gydol d'oes," meddai wrthi. "Yn y busnes yma, yn ogystal â bod yn benderfynol, mae'n rhaid iti ddysgu gadael llonydd i betha weithiau. Perfformwyr dan ni ac er bod pob perfformiad yn gofyn am waith caled, fedr neb orfodi'i hun. Mwya'n y byd fyddi di'n gwthio dy lais, mwya'n y byd fydd o'n brwydro yn d'erbyn di. Ymlacia, Erin. Rho gyfle i dy lais ac fe ddaw o'n ôl.

"Ond ..."

Cododd Huwcyn ap Siôn Ifan ei aeliau, ond wnaeth o ddim dadlau. Safodd ar ei draed gan duchan a phlygu i godi'r hen linynnau. Rhoddodd y gitâr dros ei ysgwydd ac edrychodd ar Erin.

"Rhaid imi fynd neu bydda i'n hwyr ar gyfer gwers. Cymer di ofal a chofia ddod i 'ngweld i eto cyn bo hir."

Gwyliodd Erin o'n mynd gan anelu cic at garreg ar y llawr yn ddigalon.

"Dydi o ddim yn deall," meddai wrthi'i hun. *"Dydi o ddim! Os na fydda i'n perfformio yn y cyngerdd, bydda i'n gorfod cyfaddef i bawb 'mod i'n methu canu! A be wna i wedyn ...?"*

7. Ffrindiau Tywydd Teg

Ar y ffordd yn ôl i Fron Dirion cyfarfu Erin griw o fechgyn blwyddyn saith yn trafod beth roedden nhw'n mynd i'w wneud yn y cyngerdd.

"Hei, Erin!" gwaeddodd Tomos Peris, canwr oedd yn ffrindiau efo Dan, "Wyt ti wedi penderfynu be wyt ti'n mynd i ganu yn y cyngerdd bellach?"

Doedd Erin ddim eisiau stopio ond doedd dim modd dianc. Casglodd pawb o'i hamgylch, yn awyddus i drafod eu cynlluniau.

"Dwi'n methu'n glir â chanu'n gywir," cyfaddefodd Tomos yn ddigalon. "Bob tro dwi'n canu, dwi'n anghofio anadlu yn y lle iawn!"

"Sut hwyl wyt ti'n gael ar y drymio?" gofynnodd Erin yn frysiog i Dan.

"Iawn," atebodd.

"Paid â gwrando arno fo!" chwarddodd Tomos.

"Mae o'n drymio'n wych! Caiff o lwyth o farciau Sêr y Dyfodol! Wir! Does dim rhyfedd ei fod o wedi cael ysgoloriaeth!"

"Gest ti ysgoloriaeth hefyd, do?" meddai Cochyn wrth Erin. "Mae'n debyg dy fod ti'n ddigon hyderus ynghylch y cyngerdd. Be wyt ti'n ganu? Ydi hi'n gân y medrwn i ddawnsio iddi hi?"

Symudodd Erin draw oddi wrth yr hogiau. "Sut cewch chi wybod 'dwch?" meddai hi, gan geisio swnio'n bryfoclyd. "Mae'n rhaid imi fynd. Mae hi bron yn amser gwaith cartref."

Brysiodd oddi yno ac unwaith roedd hi o'r golwg, pwysodd yn erbyn wal i gael ei gwynt ati. Fedrai hi ddim wynebu mynd i'r tŷ. Byddai Llywela wrthi'n brolio pa mor dda oedd ei darn hi ar y gitâr fas yn swnio a Fflur yn mynnu dangos y ddawns roedd hi wedi'i chynllunio efo Ffion i gyd-fynd â'u cân.

Penderfynodd Erin decstio Sara. Efallai y byddai hynny'n gwneud iddi deimlo'n well ac yna, y penwythnos nesa pan âi hi adref, gallai'r ddwy ohonyn nhw geisio meddwl beth i'w wneud.

"*Help! Dim llais. Isio srad,*" ysgrifennodd. Daeth

neges Sara yn ôl bron ar unwaith ond nid dyna roedd Erin eisiau ei glywed.

"Dim llais dim srad! Gweld Sad nesa."

Wrth gwrs, doedd Sara ddim yn deall cymaint o bicil oedd hi ynddo ac roedd y cwbl yn rhy gymhleth i'w egluro mewn neges testun. Doedd hi erioed wedi teimlo mor unig yn ei bywyd. Gwthiodd y ffôn yn ôl i'w phoced. Cyn bo hir byddai pawb ym Mhlas Dolwen yn gwybod nad oedd hi'n mynd i berfformio yn y cyngerdd a byddai *pawb* eisiau gwybod pam. Dyna wfftio fyddai yna wedyn.

Rhedodd ias o ofn i lawr ei chefn. Bydden, bydden nhw'n ei chasáu hi. Llwyddo oedd *popeth* yn yr ysgol hon, nid methu. Roedd pobl fel Fflur a Ffion wedi bod yn llwyddiannus ar hyd eu hoes. Mae'n debyg y bydden nhw'n cydymdeimlo â hi oherwydd eu bod nhw'n glên, ond hi fyddai'r unig un heb ddim byd i'w ddweud pan fydden nhw'n trafod y cyngerdd. Fyddai ganddi hi neb i siarad efo hi a dim marciau *Sêr y Dyfodol* i'w hel ar gyfer y cyngerdd holl bwysig ar ddiwedd y flwyddyn ysgol.

Roedd Erin yn dyheu i'r wythnos nesa fynd

heibio er mwyn iddi gael mynd adref am wyliau hanner tymor. Er mai dim ond penwythnos oedd yr hanner tymor yma, oherwydd fod tymor yr Hydref mor fyr, byddai'n rhoi cyfle iddi gael seibiant bach. Yn yr ysgol roedd hi fel petai'n treulio'i holl amser yn osgoi cwestiynau ynghylch ei dewis o gân ar gyfer y cyngerdd.

"Ti'n dawel iawn ynghylch dy gân," meddai Ffion un noson pan oedden nhw'n golchi'u gwalltiau. "Mae'n rhaid fod Mr Parri wedi dewis rhywbeth arbennig iawn ar dy gyfer di. Dwi'n sâl eisio gwybod be ydi hi. Wyt ti'n mynd i ddawnsio hefyd, neu dim ond canu?"

"Dim ond canu," atebodd Erin yn anhapus. Roedd yn gas ganddi ddweud celwydd, yn arbennig wrth Ffion oedd yn ffrind mor dda, ond fedrai hi yn ei byw gyfaddef y gwir.

*

Yn y wers ganu olaf cyn y gwyliau hanner tymor, cyrhaeddodd Erin i glywed sŵn jazz yn canu'n dawel ar y stereo. Doedd Mrs Jones ddim wrth y piano a doedd ffeil Erin ddim ar agor fel arfer o flaen Mr Parri.

"Dyma beth o fy hoff fiwsig i ar gyfer ymlacio," meddai wrthi. "Wyt ti'n ei hoffi?"

Gadawodd Erin i'r nodau esmwyth llithro dros ei meddwl.

"Mmm," cytunodd. "Mae'n braf."

"Rŵan, ty'd i lawr i fan'ma." Aeth Mr Parri â hi i sefyll o flaen drych. "Edrych mor dynn wyt ti!" Rhoddodd ei ddwylo ar ei hysgwyddau a'u gwthio i lawr yn dyner. "Dyna welliant. Gad i'r miwsig lifo drosot ti. Dyma ein gwers olaf cyn y gwyliau a dwi isio d'yrru di adref yn hapus wedi ymlacio'n braf."

Roedd hynny'n amhosib, meddyliodd Erin, ond gwrandawodd yn gwrtais.

"Dwi ddim eisio iti boeni yngylch gwneud ymarferion, na cheisio canu. Dim ond un peth dwi isio iti'i wneud fel gwaith cartref. Rhywbeth sy'n hwyl. Dweud i mi, pryd oedd y tro olaf iti daflu i fyny? Chwydu? Dwi o ddifri," ychwanegodd wrth weld yr olwg ddryslyd ar ei hwyneb.

"Gaeaf diwethaf, dwi'n meddwl," atebodd Erin gan geisio cofio. "Cafodd fy mrawd bach i ryw chwiw a chafodd pawb o'r teulu yr un peth. Pam?"

"Am 'mod i eisio iti gofio be sy'n digwydd pan fyddi di'n taflu i fyny. Chwilia am gornel dawel yn rhywle yn ystod y gwyliau a cheisio ymarfer. Dwi'm eisio iti chwydu go iawn, wrth gwrs! Ond rho gynnig ar actio. Gwna bob sŵn hyll roeddet ti'n 'neud bryd hynny. Cofia gael tipyn o hwyl hefyd. Ceisia ailgynhyrchu'r teimlad cryf yna. Weithiau mae gwneud hynny'n helpu cantorion i ddysgu sut i gynhyrchu eu lleisiau."

Ochneidiodd Erin. Feddyliodd hi erioed mai fel hyn roedd gwersi canu ym Mhlas Dolwen! Dylai hi fod yn dysgu sut i anadlu'n iawn a sut i roi gwir deimlad yn y geiriau roedd hi'n eu canu, ddim gorfod ymarfer chwydu'i pherfedd! Byddai'r peth yn ddoniol petai o ddim mor ddychrynllyd.

Stopiodd Mr Parri y miwsig. "Oes gen ti chwaraewr cryno ddisgiau dy hun?" gofynnodd.

"Oes."

"Wel dos â hwn efo ti," meddai gan roi'r disg jazz

iddi, "a chwaraea fo yn ystod y gwyliau. Os bydd gen ti awydd hymian efo fo, gwna, ond paid â meddwl fod yn rhaid iti wneud. Un diwrnod byddi di'n datgloi'r llais gwych 'na sy gen ti ac wedyn bydd dy holl ofnau di'n diflannu … Byddi di'n canu fel eos. Hwyl fawr iti dros y gwyliau."

Rhoddodd Erin y disg yn ei bag. Gwyddai fod Mr Parri yn ymdrechu i fod yn glên ond roedd hi'n amlwg nad oedd ei llais hi'n datblygu o gwbl.

O'r diwedd, cyrhaeddodd dydd Gwener. Roedd Erin yn y stafell waith cartref yn holi Ffion ynghylch eu gwaith cartref Cymraeg pan gyrhaeddodd Dan efo'i fag, yn barod i gael reid adref efo hi a'i rhieni.

"Dwyt ti ddim yn cymryd rhan yn y cyngerdd?" meddai wrth Erin yn bryderus wrth ollwng ei fag ar ei desg. Yn ei law roedd ganddo gopi o raglen y cyngerdd oedd newydd gael ei hargraffu.

O na, meddyliodd Erin, *anghofiais i bopeth am y rhaglen.*

"Be?" gwichiodd Fflur. Syllodd ar Dan. "Be yn y byd mawr wyt ti'n feddwl? Wrth gwrs ei bod hi'n cymryd rhan yn y cyngerdd! Dwi wedi bod yn trio cael gwybod ganddi ers hydoedd be mae hi'n ganu …" Edrychodd ar Erin. "Roedd hi'n dweud …"

"Ydi popeth yn iawn?" gofynnodd Ffion.

Edrychodd Erin yn wyllt o'r naill ffrind i'r llall, heb wybod beth i'w ddweud.

"Doeddwn i ddim …" meddai hi a cheisio meddwl am rywbeth, *unrhyw beth*, i wneud i bethau beidio swnio mor ddifrifol. Erbyn hyn sylweddolodd y byddai hi wedi bod yn well efallai petai hi wedi bod yn onest efo nhw. Ond roedd hi'n rhy hwyr.

Pwy gyrhaeddodd ar hynny, wrth gwrs, ond Llywela.

"Mae dy rieni wedi cyrraedd," meddai hi, "yn eu hen gar rhydlyd." Chwifiodd y rhaglen yn wyneb Erin. "Dydi hi ddim yn debygol y byddi di yma ar ôl hanner tymor, nac ydi?" ychwanegodd yn sbeitlyd. "O?" meddai hi gyda hen wên annifyr wrth weld wynebau syn yr efeilliaid. "Ddywedodd hi ddim wrth ei ffrindiau *gorau* nad ydi hi'n ddigon da i fod yn y cyngerdd? Wel, dyna chi. Dywedais i o'r cychwyn cynta na fedrai hi byth ddal y straen!"

8. Penwythnos Gartref

"Sut hwyl wyt ti'n gael ar y canu?" gofynnodd Dad pan oedden nhw yn y car.

"Iawn," meddai Erin, gan ymdrechu i swnio'n llon. Edrychodd Dan arni'n syn.

"Beth am y cyng …?" Edrychodd Erin yn ddu ddychrynllyd arno a chaeodd Dan ei geg y munud hwnnw. Ymhen rhyw funud neu ddau, dywedodd, "Dwi'n gorfod dysgu petha o'r enw 'elfennau'."

"Be ydyn nhw?" gofynnodd mam Erin.

"Pob math o guriadau gwahanol efo enwau rhyfedd ar y naw arnyn nhw. Petha fath â 'paradidl', 'fflam' a 'ryff'."

"Wir?"

"Maen nhw'n cael yr enwau o batrymau gweu," ychwanegodd Dan.

Trodd mam Erin yn ei sedd a rhythu arno. "Ydyn

nhw?" holodd. "Dyna ryfedd."

"Na, ddim wir," cyfaddefodd Dan. "Cochyn, fy ffrind i, sy'n dweud hynny. Bydd ei nain o'n grwgnach petha fel'na dan ei gwynt wrth weu, medda fo."

Chwarddodd mam Erin. "Mae'n swnio fel petaech chi'n cael tipyn o hwyl yn eich ysgol newydd," meddai hi. "Dwi'n eiddigeddus braidd!"

Edrychodd Dan ar Erin a gwenodd hithau arno'n ddiolchgar.

"Diolch," sibrydodd fel roedd ei mam yn troi draw.

"Iawn," meddai Dan yn ddidaro.

*

Roedd hi'n wych bod gartref. Neidiodd Dion ar wely Erin i'w ddeffro fore trannoeth a dechreuodd hithau ei gosi nes roedd o'n gwichian. Roedd o'n rhy fychan i ddeall holl gymhlethdod ei bywyd hi. Doedd dim ots ganddo fo beth ddigwyddai ym Mhlas Dolwen. Yn syml iawn, roedd o'n falch o gael ei chwaer fawr gartref eto ac roedd o'n meddwl ei bod hi'n berffaith fel roedd hi.

Daeth Sara draw yn hwyrach yn y bore. Roedd Erin wedi bod yn edrych ymlaen gymaint i rannu'i chyfrinach gyda'i ffrind gorau, ond doedd Sara ddim eisiau clywed am un dim heblaw am y bobl enwog roedd Erin wedi eu cyfarfod. Doedd hi ddim fel petai hi'n sylweddoli gymaint roedd ar ei ffrind angen bwrw'i bol.

"Os rhof i gylchgrawn y mis diwetha i ti, wnei di ofyn am lofnod Fflur a Ffion i mi?" crefodd Sara. "Wnei di ofyn iddyn nhw sgwennu'u henwau wrth ymyl eu lluniau. A' i â'r cylchgrawn i'w ddangos i'r lleill yn yr ysgol neu choelian nhw byth!" Gosododd ei hun yn fwy cysurus ar wely Erin. "Pwy arall wyt ti'n 'nabod?"

"Sara!"

"Be?"

Edrychodd Erin ar ei ffrind yn ddigalon. "Dwi eisio siarad efo ti. Mae gen i broblem *anferth*." Yna petrusodd wrth glywed lleisiau ei rheini i lawr y grisiau. "Ond ddim yn fan'ma. Ty'd am dro."

Ar eu ffordd i lawr i'r dre, dywedodd Erin hanes ei

helyntion wrth Sara.

"Ddim arnat *ti* mae'r bai," meddai Sara wrthi'n bendant. "'Rhen sguthan Mrs Gruffydd 'na sy ar fai!"

"Ond mae'n *rhaid* imi gael fy llais yn ôl," meddai Erin. "Heb lais iawn, dwi'n dda i ddim ym Mhlas Dolwen. Beth petaen nhw'n fy ngyrru i o'no? Welwn i ddim bai arnyn nhw am wneud hynny."

Ysgydwodd Sara ei phen. "Wel mi welwn *i*. Maen nhw i fod i dy ddysgu di. Wnân nhw ddim rhoi'r ffidil yn y to. Dwyt *ti* ddim yn gwneud, nac wyt?"

"Nac ydw!" Gorfododd Erin ei hun i beidio crio. Roedd rhan ohoni *bron iawn* â rhoi'r gorau i'r holl syniad o fod yn gantores bop. "Dwi ddim yn rhoi'r gorau iddi. Ond dywedodd Mr Parri na cha i ddim bod mewn cyngerdd nes bydda i'n medru canu'n iawn. A dwi'n hoff iawn o Fflur a Ffion ond fyddan nhw ddim eisio bod yn ffrindiau efo fi os dwi'n fethiant."

"PAM?"

"O, Sara! Am eu bod nhw'n enwog ac yn llwyddiannus. Fyddan nhw ddim eisio cymysgu efo pobl sy'n methu."

"Ddwedon nhw hynny?"

Ceisiodd Erin fod yn deg. "Wel, naddo, ond dydyn nhw ddim yn gwybod pam nad ydw i ddim yn cymryd rhan yn y cyngerdd."

"Dwyt ti ddim wedi dweud wrthyn nhw?"

Roedd yr ateb yn glir i Sara ar wyneb Erin. "Fedrwn i ddim dweud wrthyn nhw," meddai'n ddistaw wrth gicio'r ychydig ddail crin o dan draed. "Na Mam a Dad."

"Erin, rwyt ti mor *hurt*!" meddai Sara wrthi. "Os nad wyt ti'n dweud wrth bobl fod gen ti broblem, fedr neb dy helpu di."

"Dwi'n dweud wrthat *ti*," meddai Erin, bron yn ei dagrau.

"Wyt, ond mae angen iti ddweud wrth Fflur a Ffion er mwyn iddyn nhw gael dy gefnogi di. Sut medran nhw fod yn ffrindiau efo ti os nad wyt ti'n rhannu petha efo nhw? Mae'n beth ofnadwy os nad ydi ffrind yn dweud petha pwysig wrthat ti."

Cerddodd y ddwy ymlaen am ychydig funudau tra oedd Erin yn meddwl am beth roedd Sara wedi'i ddweud. Ddywedodd hi ddim wrth Sara yn syth ar ôl cael gwybod ei bod hi wedi cael lle ym Mhlas Dolwen ac roedd hynny wedi brifo Sara druan yn ofnadwy. Unwaith eto, roedd Erin wedi gwneud yr un camgymeriad gyda'i ffrindiau ym Mhlas Dolwen.

"Wyt ti'n meddwl y dylwn i eu tecstio nhw?" gofynnodd.

"Syniad da," meddai Sara. "Dweud wrthyn nhw y gwnei di egluro'n iawn iddyn nhw nos Sul. Cer 'laen. Gwna fo *rŵan!*" Roedd Sara mor frwdfrydig bob amser nes ei bod hi'n amhosib peidio gwrando arni. Felly tynnodd Erin y ffôn symudol o'i bag. Wedi meddwl am funud, anfonodd y neges i Ffion. Hi oedd y dawelaf, yr un fyddai'n cydymdeimlo fwyaf. Y cyfan fedrai Erin ei wneud wedyn oedd croesi'i bysedd ac aros am ateb clên.

Roedd hi wedi bod yn hydoedd ers pan oedd Erin a Sara wedi bod yn siopa gyda'i gilydd ac Erin bron wedi anghofio cymaint o hwyl allai hynny fod. Aeth y ddwy i siop gerddoriaeth ac yn syth bron, cafodd Sara hyd i rywbeth wnaeth iddi chwerthin yn yr adran fargeinion.

"Yli!" meddai. Edrychodd Erin ar y disg yn ei llaw.

Peredur Parri, ar fy mhen fy hun heno, oedd teitl y cryno ddisg. Ar y clawr roedd llun o'i hathro yn edrych yn ieuengach o lawer ac yn edrych yn freuddwydiol i'r pellter. "Wyt ti eisio'i brynu o?" gofynnodd Sara.

"Nac ydw siŵr!" chwarddodd Erin. Roedd o braidd yn beth'ma i weld Mr Parri ar gryno ddisg mor hen.

"Pwy arall wyt ti'n 'nabod allai fod wedi recordio cryno ddisg?" holodd Sara. Roedd hi fel daeargi, yn tyrchu ac yn chwilota am unrhyw un enwog. Soniodd Erin am Huwcyn ap Siôn Ifan wrthi.

"Dan be fydd o – H neu S?" meddai Sara wrth chwilio drwy'r silffoedd.

"Wn i ddim," meddai Erin yn ansicr. Mae o wedi chwarae gitâr efo fflyd o bobl enwog dros y blynyddoedd, ond wn i ddim ydi o wedi recordio ar ei ben ei hun. Paid ag edrych o dan pop, Sara. Cerddor roc ydi o!"

Symudodd Sara draw at yr adran roc. *"Huwcyn ap Siôn a'i Ffrindiau."* Chwifiodd y clawr yn wyllt a chydiodd Erin ynddo.

Fo oedd o! Ei ffrind hithau hefyd erbyn hyn. Huwcyn ap Siôn Ifan yn eistedd ar gadair bren, blaen gyda'i hen gitâr, yr un roedd o wedi bod yn rhoi llinynnau newydd arni y diwrnod o'r blaen. Roedd o fel petai'n gwenu ei wên fawr, gynnes iddi hi'n arbennig – hi a neb arall!

"Waw! Does gen i ddim llawer i'w ddweud wrth ganu roc, ond *dwi* hyd yn oed wedi clywed am lawer o'r bobl yma," gwichiodd Sara wrth gipio copi arall o'r disg oddi ar y silff er mwyn cael darllen y clawr ôl. "Yr holl bobl enwog yma wedi chwarae efo Huwcyn ap Siôn Ifan. Ac rwyt *ti* yn ei 'nabod o!" Nodiodd Erin. Gwyrthiol!

Teimlodd Erin rhyw benderfyniad newydd yn llifo drwyddi. Roedd hi bron yn rhan o'r byd yma. Boddi yn ymyl y lan fyddai methu rŵan a hithau efo cyfle i lwyddo fel seren bop. Roedd yn *rhaid* iddi gael ei llais i weithio'n iawn. Ei huchelgais oedd yr *unig* beth pwysig iddi. Yr *unig* beth!

Yn y parc rhoddodd Sara ac Erin gynnig ar yr ymarfer chwydu'i pherfedd fel roedd Mr Parri wedi ei awgrymu, ond erbyn hynny roedden nhw'n teimlo'n hurt iawn a fedrai hyd yn oed Erin ddim cymryd y peth o ddifri, felly, yn lle hynny aethon nhw ar y siglenni.

Roedd hi mor braf anghofio'r helyntion am ychydig ond yn nes ymlaen, wedi i Sara fynd adref a Dion fynd i'w wely, penderfynodd Erin sôn wrth ei rhieni am ei helyntion.

"Dwi i fod i ganu o *fan'ma*," eglurodd a rhoi ei llaw ar ei bol i ddangos iddyn nhw. "Ac wrth wneud yr ymarferion anadlu mae Mr Parri wedi eu dangos imi, dwi'n medru teimlo'r gewynnau'n gweithio. Ond cyn gynted â dwi'n dechrau canu dwi ddim fel petawn i'n medru gwneud iddyn nhw weithio. Dwi'n mynd yn syth yn ôl i ganu o 'ngwddw."

"Ond roedd gen ti fôr o lais pan oeddet ti'n llai," meddai Dad. "Dwi'n dy gofio di'n canu petha fel *Pen-blwydd Hapus* pan oeddet ti'n fach."

"Oedd," cytunodd Mam. "Pan oeddet ti tua saith neu wyth oed doeddwn i ddim yn medru deall o ble'r oedd cymaint o sŵn yn dod. Mae'n rhaid dy fod ti'n defnyddio gewynnau dy fol 'radeg hynny. Doedd o i gyd ddim yn dod o dy wddw di!"

Rhoddodd Dad ei freichiau am Erin a'i chofleidio. "Byddai'n dda gen i fedru chwifio ffon hud i dy helpu di," meddai, "ond wn i ddim byd am ganu. Bydd popeth yn iawn yn y diwedd, cei di weld."

"Roeddwn i gymaint o eisio canu yn y cyngerdd ar ddiwedd y tymor," meddai Erin yn ddigalon.

"Gwna di fel mae Mr Parri yn ddweud wrthat ti," cynghorodd Mam. "Fo ŵyr orau 'sti."

"A phaid ag anghofio," meddai Dad, "mai chdi ydi'n hogan ni beth bynnag ddigwyddith. Dan ni'n dy garu di 'sti!"

Roedd hi mor braf gwybod fod ei theulu yn ei chefnogi hi ond wrth i ddydd Sadwrn ymestyn i bnawn Sul, setlodd lwmpyn trwm fel plwm yn stumog Erin. Roedd hi bron yn amser mynd yn ôl i'r ysgol a doedd hi byth wedi cael ateb gan Fflur na Ffion. Fyddai dim byd yn rhwystro Erin rhag gweithio'n galed i gyrraedd ei huchelgais ond byddai'n anodd iawn dal ati'n siriol a hithau wedi colli dwy o'i ffrindiau ysgol gorau.

9. Chwilio am Lais

Roedd hi'n anodd mynd yn ôl i Blas Dolwen heb wybod beth roedd Fflur a Ffion yn feddwl ohoni. Roedd Dan mor gyfeillgar ag arfer ar hyd y daith ond pan gyrhaeddon nhw, roedd Erin yn rhy llwfr i fynd â'i bag i Fron Dirion. Doedd hi ddim yn ddigon dewr i wynebu'r efeilliaid ar y pryd. Arhosodd efo Dan ac aeth y ddau i gael te efo'i gilydd.

"Felly be sy'n bod?" holodd gan lowcio brechdan. Roedd hi'n berffaith amlwg nad oedd Erin eisiau siarad o flaen ei rhieni yn y car ac felly doedd o byth wedi cael gwybod beth oedd o'i le.

Cymerodd Erin anadl ddofn. "Fedra i ddim canu yn y cyngerdd. Does gen i ddim digon o lais," meddai hi.

"O, paid â phoeni." Cymerodd lond ceg arall a syrthiodd briwsion crystiau a darnau o salad ar ei blât. Rhythodd Erin arno.

"Paid â phoeni? Dyna'r cyfan fedri di'i ddweud?" arthiodd.

"Rwyt ti'n y lle iawn i gael hynny o help fyddi di'i angen," atebodd yn ddidaro. "Be ydi'r broblem?"

Prin y medrai Erin goelio'i chlustiau. Gallai Dan fod mor dwp weithiau.

"Marciau Sêr y Dyfodol, yn un peth!" meddai hi.

"Gwir iawn," cytunodd gan nodio'i ben. "Ond fe fydd yna gyngherddau eraill. A dywedodd fy athro drymio i fod barn yr athrawon drwy gydol y tymor yn bwysicach na'r marciau mae myfyrwyr yn eu cael mewn cyngherddau. Rhywbeth arall?" holodd, fel petai'n awdurdod ar ddatrys problemau.

Cymerodd Erin wynt mawr. Pam oedd o mor annifyr? Roedd o fel petai'n benderfynol o wneud i'w phroblem anferth hi ymddangos yn hollol ddibwys.

"Dim ond 'mod i'n fethiant llwyr ac mae'n debyg na fydd Fflur a Ffion eisio bod yn ffrindiau efo fi ar ôl hyn." Roedd yn gas gan Erin y ffordd roedd hi'n swnio mor bathetig, ond roedd hi bron â chrio ac yn methu atal ei llais rhag crynu. Rhoddodd Dan weddillion ei frechdan ar y plât ac edrychodd ar Erin.

"Pwy fyddai eisio ffrindiau fel yna?" gofynnodd. "Fyddwn *i* ddim."

Ceisiodd Erin egluro. "Digon hawdd dweud hynna, ond – "

"Gad inni ofyn iddyn nhw," torrodd ar ei thraws. "Hei, Fflur! Fasat ti ddim yn peidio bod yn ffrindiau efo Erin petai hi ddim yn medru canu, na faset?"

Arswydodd Erin wrth sylweddoli fod Fflur a Ffion yn y stafell fwyta ac yn dod tuag atyn nhw. Roedd bron pawb yn y stafell yn sicr o fod wedi clywed beth roedd Dan wedi'i ddweud! Rhwbiodd Erin ei llygaid yn wyllt, yn ceisio edrych fel petai hi ddim yn malio o gwbl.

Dyrnodd Fflur ei hambwrdd ar y bwrdd gan ollwng ei hun yn flin ar y gadair gyferbyn ag Erin.

"Wir, am beth ofnadwy o gas i'w ddweud, Dan!"

"Be dw i 'di 'neud?" gofynnodd Dan. "Dim ond gofyn oeddwn i – "

"Wel, paid," meddai Ffion, yn rhoi ei hambwrdd i

lawr yn ddistaw ac yn eistedd wrth ochr Erin. "Wyt ti ddim yn gweld ei bod hi wedi cynhyrfu?" Rhoddodd ei braich am ysgwyddau Erin. Cofleidiodd hi. "Dwi mor falch o dy weld di," meddai hi. "Mae Fflur a fi wedi bod yn poeni'n heneidiau amdanat ti."

Gorffennodd Dan ei de, gwthiodd ei gadair yn ôl a chodi ar ei draed.

"Genethod," meddai o dan ei wynt ac i ffwrdd ag o.

"Roedden ni yn ein tŷ ni yn y canolbarth dros y penwythnos," meddai Fflur wrth Erin. "Mae o mewn dyffryn. Fedrwn ni ddim derbyn negeseuon ffôn symudol yno. Diflas, cofia. Felly dim ond ar y ffordd yn ôl i'r ysgol y cafodd Ffion dy neges di."

"Dyna pam mai dim ond awr sy 'na ers pan atebais i," eglurodd Ffion, "… a dwyt ti ddim wedi darllen y neges, nac wyt?" ychwanegodd wrth weld wyneb Erin.

Ysgydwodd Erin ei phen. "Diffoddais i fy ffôn wrth ei roi yn fy mag bore 'ma," eglurodd. "Gan nad oeddwn i wedi clywed gen ti dros y penwythnos, roeddwn i'n meddwl na faset ti byth yn fy nhecstio i heddiw," ychwanegodd yn drwsgl.

"Ar ôl beth ddywedodd Llywela ddydd Gwener, roedden ni'n ofni y byddet ti'n diflannu ac na fydden ni byth yn dy weld di eto!" ychwanegodd Fflur. "Wnest ti sôn dy fod ti'n methu defnyddio'r gewynnau iawn i ganu ar ddechrau'r tymor, ond roedden ni'n meddwl fod y broblem honno wedi'i datrys. Yr un broblem ydi hi?"

Eglurodd Erin y cyfan iddyn nhw. Teimlai'n well o lawer wedi rhannu'i phroblemau efo'r efeilliaid. Wedi iddi orffen, cofleidiodd Ffion hi.

"Doedden ni ddim yn sylweddoli fod y peth mor ddifrifol," meddai wrth Erin. "Druan â ti, yn dioddef yn ddistaw drwy'r adeg. Dylet ti fod wedi dweud wrthon ni."

"Wn i," cyfaddefodd Erin gan wrido. "Dywedodd Sara'r drefn wrtha i am beidio dweud. A pheidiwch â gweld bai ar Dan am beth ddywedodd o. Arna i mae'r bai. Roedd arna i ofn drwy waelod fy nghalon na fyddech chi ddim eisio bod yn ffrindiau efo fi os oeddwn i'n methu canu."

"Hy!" wfftiodd Fflur.

"Mae'n ddrwg gen i," meddai Erin mewn llais bach.

"Paid â phoeni," meddai Ffion. "Mae 'na rai pobl felly."

"Roedden ni'n dy hoffi di o'r cychwyn cynta un am dy fod ti â dy draed ar y ddaear bob amser," meddai Ffion wrthi.

Roedd yn rhaid i Erin wenu. "Diolch!" meddai hi.

"Na, wir!" meddai Fflur. "Rwyt ti'n gwybod be dwi'n feddwl. Dan ni'n cyfarfod gymaint o bobl sy eisio bod yn ffrindiau efo ni dim ond am fod pawb yn gwybod pwy ydan ni. Mae'n rhaid inni fod yn ofalus rhag cael ein twyllo gan bobl felly. Wnan nhw ddim byd ond siomi rhywun."

"Weithiau mae'n ddigon anodd eu 'nabod nhw," meddai Ffion, "felly dwi ddim yn synnu fod arnat ti ofn ymddiried ynon ni. Ond dydan *ni* ddim yn hen bobl ffals, a dan ni eisio helpu. Dwed wrthon ni be fedrwn ni wneud ac fe wnawn ni."

Gwenodd Erin yn gam braidd. Bechod na fyddai pethau mor hawdd â hynny!

Wedi gorffen eu te aeth y tair draw i Fron Dirion.

Doedd dim golwg o Llywela.

"Gwelais i hi'n mynd i gyfeiriad y stafelloedd ymarfer pan oedden ni'n cyrraedd," meddai Ffion. "Dwi ddim yn meddwl ei bod hi wedi mynd adref dros y penwythnos. Mae ei rhieni hi dramor yn aml."

"Mae'n rhaid inni dy gael di i ganu rywsut," mynnodd Fflur.

"Ond sut?" gofynnodd Erin. "Gwneud pethau'n waeth mae pob dim dwi wedi'i drio hyd yn hyn. Mae arna i ofn y bydda i'n cael fy hel o'ma os na cha i drefn arna i fy hun yn fuan." Teimlai gymaint gwell ar ôl siarad efo'r efeilliaid: ond roedd hi'n dechrau meddwl na fyddai hi byth yn cael trefn arni'i hun. Ond roedd Fflur o ddifri.

"Ydi Mr Parri wedi awgrymu y cei di dy hel o'r ysgol?" gofynnodd Ffion.

Ysgydwodd Erin ei phen. "Naddo."

"Mae'n debyg nad ydi o ddim eisio codi ofn arnat ti," meddai Fflur.

"Paid â phoeni," meddai Ffion. "Chei di mo dy hel o'ma yn ystod y tymor cynta. Petai hi'n nes at ddiwedd y flwyddyn gynta, ella y byddai petha'n wahanol."

Teimlodd Erin yr ofn yn cropian yn ôl. Doedd bosib y byddai'n cymryd gymaint â hynny i gael hyd i'r llais cryf roedd hi ei angen

"Dydi o ddim fel petaet ti'n gorfod dysgu sut i *ganu*," meddai Fflur. "Yr unig ddrwg ydi fod dy lais di'n rhy ddistaw."

Nodiodd Erin yn drist. "Ie. Dywedodd rhywun wrtha i fod hyd yn oed babi yn medru crio'n uchel heb i neb ei ddysgu ac mai fy meddwl i sy'n fy rhwystro i."

Cydiodd Fflur ym mraich Erin.

"Dyna ti! Mae'n rhaid iti gael rhywbeth wnaiff iti floeddio nerth esgyrn dy ben pan na fyddi di ddim yn meddwl am y peth. Ella byddai hynny'n datgloi dy lais di?"

"Mmm," cytunodd Ffion. "Dydi hynna ddim yn syniad drwg o gwbl. Ella baset ti'n gweiddi petai rhywun yn dy ddychryn di ac wedyn medret ti droi'r floedd yn gân."

"Dach chi'n meddwl byddai hynny'n gweithio?" edrychodd Erin ar eu hwynebau pryderus. "Rhof i gynnig arni," ychwanegodd yn ddewr, "dim ond i chi beidio rhoi trawiad calon i mi!"

"Meddyliwn ni'n dwy am rywbeth," sicrhaodd Fflur hi, ei llais yn smalio crynu'n iasol i godi ofn. "Bydd yn barod am rywbeth fydd yn codi gwaaaaallt dy beeeeeeen!"

10. Cynhyrfu a Phenderfynu

Yn fuan iawn codwyd coeden Nadolig anferth yn neuadd yr ysgol. Roedd rhai o'r disgyblion wedi dod ag addurniadau o'u cartrefi i'w hongian o amgylch y stafell waith cartref i lonni tipyn ar y lle, a holl awyrgylch yr ysgol yn newid wrth i'r tymor garlamu ymlaen tuag at y Nadolig. Y cyngerdd oedd yn bwysig. Sôn am y cyngerdd. Trafod y cyngerdd. Dyna oedd i'w glywed ym mhob twll a chornel, a phob stafell ymarfer yn llawn bob awr o'r dydd. Roedd gardd fach dawel Huwcyn ap Siôn Ifan yn cael ei defnyddio hyd yn oed – i ymarfer riff newydd ar gitâr neu i ganu yr un cymal drosodd a throsodd. Roedd athrawon y pynciau ysgol arferol yn methu'n glir â chael y myfyrwyr i ganolbwyntio.

"Stwff trin gwallt, wir!" cwynodd Mrs Prydderch rhyw ddiwrnod pan oedd criw o fechgyn yn mynnu dal ati i drafod pa jel oedd y gorau i gadw'u gwalltiau'n bigog ar gyfer eu perfformiad. "Mae 'na bethau pwysicach mewn cemeg!"

Er mai Erin oedd yr unig fyfyriwr yn ei blwyddyn fyddai ddim yn cymryd rhan yn y cyngerdd, roedd hi gymaint ar bigau'r drain â phawb arall, ond am reswm gwahanol. Roedd Fflur a Ffion wedi llwyddo i gael help y lleill gyda'u cynllun i gael hyd i lais Erin. Helpu wir! *Helpu*? Yn fuan iawn dechreuodd Erin ofni'i chysgod ei hun!

Yr hoff dric oedd cuddio mewn cornel a neidio o'i blaen i'w dychryn pan fyddai'n mynd heibio! Yr unig le diogel oedd y stiwdio recordio. Fyddai Owain Tudur byth yn caniatáu ymddygiad o'r fath yno. Felly, am ei bod hi wedi syrffedu gymaint, dechreuodd Erin dreulio amser yno. Doedd hi'n cael gwneud fawr ddim ond roedd hi wrth ei bodd yn eistedd mewn cornel yn gwylio'r unawdwyr yn canu i'r meicroffonau yn y gell fechan. Dysgodd pa mor bwysig oedd y bartneriaeth rhwng y perfformwyr a'r peirianwyr i gynhyrchu recordiad gwirioneddol dda. Ond fedrai hi ddim aros yn y stiwdio recordio drwy'r adeg, a doedd mynd i'r gwely hyd yn oed ddim yn ddiogel ...

Un noson rhoddodd Llywela bry copyn du, anferthol ar wely Erin. Fel arfer, er nad oedd hi'n rhyw hoff iawn ohonyn nhw, fyddai Erin ddim wedi cael sterics wrth weld pry copyn diniwed. Ond wrth i hwn gychwyn carlamu ar draws y dwfe tuag ati, sgrechiodd Fflur nerth esgyrn ei phen. Swatiodd mewn cornel gan bwyntio at wely Erin.

"Tric arall!" meddyliodd Erin, heb gynhyrfu o gwbl.

Ond yna dechreuodd Ffion sgrechian hefyd!

"P-p-p-pry copyn, Erin! *Pry copyn*!"

Doedd Ffion ddim yn medru actio cystal â *hynny*. Edrychodd Erin i lawr mewn pryd i weld y peth du, blewog ar fin rhedeg ar draws cefn ei llaw. Dychrynodd. Neidiodd. Sgrialodd y pry copyn druan dros erchwyn y gwely a syrthio *PLOP*! ar y llawr.

Bu Fflur a Ffion am hydoedd cyn tawelu. Gwrthododd y ddwy yn bendant fynd i'w gwelyau nes i Mrs Prydderch fynd ar ei phengliniau i ddal y trychfil efo cerdyn post a gwydryn, tra oedd Erin, gan chwerthin, yn dal fflachlamp iddi gael gweld o dan y gwely.

Amser cinio drannoeth, pan oedd Erin wedi troi'i phen draw, rhoddodd Cochyn chwilen fawr ddu ar ei hambwrdd. Fel roedd hi'n cario'i bwyd at y bwrdd, daeth y chwilen i'r golwg. Gollyngodd Erin y cwbl lot gan fod ei dwylo'n crynu gymaint!

"Wnaiff hyn mo'r tro," meddai Dan ar ôl i bawb ei helpu hi i glirio'r llanast a mynd i eistedd i fwyta'r cinio. "Dim ond gwneud pethau'n waeth ydan ni. Mae'n amlwg nad ydi Erin ddim yn sgrechian pan fydd hi'n cael ei dychryn. Mae'n rhaid inni feddwl am rywbeth arall."

Rhoddodd Erin ochenaid o ryddhad. Dyna falch oedd hi o glywed na fyddai'n rhaid iddi ddioddef rhagor o driciau. Ond roedd y broblem efo'i llais yno o hyd.

Un pnawn aeth am dro i'w hoff le i roi cynnig arall ar yr holl ymarferion a'r awgrymiadau gafodd hi gan Mr Parri. Er bod amryw o bobl yn crwydro ar hyd glan y llyn, pur anaml y byddai neb yn trafferthu cerdded draw i'r ochr arall. Felly yno, yng nghysgod y coed, gwnaeth bopeth roedd o wedi'i ddysgu iddi.

Llaciodd ei hysgwyddau a'i gwddw a dychmygodd ewynnau ei bol yn gwthio'r aer o'i hysgyfaint. Cymerodd arni fod yn rhaid iddi ganu i rywun ar ochr draw'r llyn ac am funud roedd ei llais fel petai'n cario dipyn bach pellach. Ond sylweddolodd yn fuan mai ceisio cysuro'i hun oedd hi. Doedd hyd yn oed yr hwyaid oedd yn nofio ar y lan agosaf ati ddim wedi'i chlywed.

Â'i thraed yn ddwfn yn nail crin yr Hydref, syllodd Erin draw dros y llyn. Edrychai Ysgol Plas Dolwen yn hardd iawn yn yr haul gwantan. Gallai ddychmygu sut yr edrychai'r plasty ers talwm pan oedd byddigions yn byw yno: cerbydau'n cael eu tynnu gan geffylau yn powlio ar hyd y ffordd raean; merched mewn gwisgodd llaes yn cerdded yn sidêt gyda'u ffrindiau i gael te ar y lawnt. Gwenodd, gan sylweddoli gymaint o feddwl oedd ganddi o'r lle, gymaint roedd hi'n hoffi bod yno. Dim ond am ychydig wythnosau roedd hi wedi bod yn ddisgybl yno, ond yn sicr, doedd hi ddim eisiau oedd gorfod gadael. Nac oedd, yn bendant, doedd hi ddim eisiau hynny.

Meddyliodd am beth roedd Mr Watkins, yr athro cerdd yn ei hen ysgol, wedi ei ddweud pan oedd ei rhieni'n poeni ynghylch yr yrfa roedd hi wedi'i dewis:

"Mae digon o gyfle yn y diwydiant cerddoriaeth. Rhan fechan ohono'n unig ydi canu. Mae 'na lawer o bethau eraill y gall hi eu gwneud."

Efallai ei bod hi'n bryd iddi sylweddoli fod yr hyn ddywedodd Huwcyn ap Siôn Ifan wrthi yn wir. Fedrai hi ddim cael popeth roedd hi eisiau. Efallai na fyddai ei llais byth yn gweithio'n iawn iddi eto.

Cododd ddeilen gastanwydd fawr a'i throelli yn ei bysedd. Hyd yn oed os na fedrai ganu, roedd hi eisiau aros yma. Roedd hi'n sicr o hynny. Byddai'n ofnadwy gorfod mynd yn ôl i'w hen ysgol. Tybed fedrai hi wneud rhywbeth arall? Beth am fod yn beiriannydd recordio? Roedd hi'n meddwl fod technegol cerddoriaeth yn wirioneddol ddiddorol.

Gollyngodd y ddeilen ac ochneidiodd. Byddai'n anodd recordio cantorion eraill a hithau eisiau canu ei hun. Wyddai hi ddim beth fyddai'n digwydd yn y dyfodol, ond gwyddai na fyddai hi byth yn troi ei chefn ar ganu. Fedrai hi byth bythoedd wneud hynny. Byddai'n dal ati i obeithio beth bynnag ac wrth iddi ddychwelyd i Fron Dirion, roedd hi'n berffaith sicr o un peth – roedd ganddi ffrindiau gwych. Roedden nhw'n malio amdani ac roedd hynny'n werth andros o lot. Yn awr, roedd yn rhaid iddi fod yn ffrind da iddyn nhwythau a pheidio bod yn wenwynllyd pan oedden nhw'n medru perfformio yn y cyngerdd a hithau ddim.

11. Gwneud y Goran o'r Gwaethaf

"Wel, dwi wedi g'neud pob dim mae Mr Parri wedi'i ddysgu imi y tymor yma ond does gen i ddim digon o lais byth," cyhoeddodd Erin.

"Wel, rwyt ti wedi g'neud popeth fedri di am rŵan, Erin," meddai Ffion tra eisteddai ar ei gwely yn darllen a phwyso'n ôl gan ochneidio. "Dwi'n siŵr y cei di farciau gan Mr Parri am benderfyniad ac ymroddiad, hyd yn oed os na chei di rai am berfformio. Fedrai o ddim cael myfyriwr sy'n gweithio'n galetach. Baswn i'n falch iawn taswn i mor ddewr â chdi."

"Does dim rhaid i ti fod yn ddewr," meddai Erin. "Mae dy fywyd di'n berffaith."

"Wyt ti'n meddwl?" meddai Ffion. Anwybyddodd yr olwg syn ar wyneb Erin a throi'r stori. "Ty'd i

90

ddweud wrtha i be wyt ti'n feddwl o hon." Agorodd ei chwpwrdd dillad ac estyn gwisg o liwiau symudliw gwyrdd a glas.

"Mae'n fendigedig!" Cydiodd Erin ynddi'n edmygus.

"Dois i â hi ar gyfer fy mherfformiad. Mae gan Fflur un 'run fath mewn coch a melyn."

"Welais i 'rioed ddim byd tebyg iddi hi!" meddai Erin a gadael i'r defnydd sidanaidd lithro drwy'i dwylo.

"Dyna lwc fod Mami yn gyfoethog," sniffiodd Llywela o'r drws. Dilynodd Fflur hi i mewn i'r stafell a rhoi pwniad yn ei chefn.

"Gan fod gen ti ddiddordeb," meddai Fflur, "ni ein hunain enillodd y rhain. Roedden ni i fod i gael ein talu am eu dangos nhw ond gofynnon ni am gael eu cadw nhw yn lle'r tâl am eu modelu."

"Roedd hi'n ddiwrnod oer iawn yng nghanol y gaeaf ac roedd yn rhaid inni eu gwisgo nhw ar lan y môr yn Llandudno," meddai Ffion. "Erthygl mewn cylchgrawn ar gyfer yr haf oedd hi ond maen nhw bob amser yn eu paratoi nhw fisoedd o flaen llaw.

Roeddwn i'n meddwl fod fy nhrwyn i'n mynd i syrthio oddi ar fy wyneb i am 'mod i mor oer!"

"Ti'n cofio llithro ar y cerrig yn yr esgidiau hurt 'na oedd yn rhaid inni eu gwisgo?" atgoffodd Fflur hi. "Baglaist ti a baeddu dy wisg. Roedd pawb o'u co."

"Roeddwn inna o 'ngho hefyd," meddai Ffion. "Ces i andros o glais ar fy nhin!"

"Be wyt ti'n mynd i'w wisgo ar gyfer y cyngerdd, Llywela?" holodd Fflur.

"Du, wrth gwrs," atebodd.

"Fyddi di ddim yn, wel … 'laru ar ddu?" meddai Ffion. "Wn i fod du yn ffasiynol ond … *drwy'r adeg*?"

Meddyliodd Erin fod Llywela yn edrych braidd yn debyg i'r pry copyn roedd hi wedi'i roi ar wely Erin. Yn goesau a breichiau i gyd a'r rheiny'n denau iawn! Ac roedd y siwmper ddu flewog a wisgai yn gwneud i'w chorff edrych yn eitha pry copaidd ... Roedd hi'n anodd peidio chwerthin!

Rhwbiodd Llywela ei dwylo ar hyd ei jîns du tynn, tynn a gwgodd. "Mae du yn siwtio fy mhersonoliaeth i," meddai.

Chwarddodd Fflur. "Mae hynny'n ddigon gwir!"

"Sut mae dy ymarferion di'n mynd?" holodd Ffion, gan anwybyddu'i chwaer. "Rwyt ti'n chwarae efo Dan, yn twyt?"

Edrychodd Llywela yn gas ar Fflur am funud cyn ateb. "Dwi'n berffaith," broliodd. "Ond dydi Dan ddim yn ymarfer digon. Mae angen inni weithio mwy efo'n gilydd ond fedra i byth ei gael o i gytuno ar amser ymarfer."

Fedrai Erin ddim credu hynny am eiliad. Drymio oedd bwyd a diod Dan! Os nad oedd o'n cyfarfod Llywela i ymarfer, roedd rheswm da am hynny. Yna, sylweddolodd rywbeth ofnadwy – roedd hi *eisiau* i Llywela beidio gwneud yn dda yn y cyngerdd. Dyna hen syniad cas. Gwnaeth ei gorau glas i anghofio'r ffasiwn syniad annifyr. Yna sylweddolodd nad am Llywela'n unig roedd hi'n meddwl felly. Roedd meddwl pethau cas am honno yn ddealladwy, ond roedd rhan fechan ohoni eisiau i *bawb* berfformio'n wael. Roedd ganddi gywilydd ei bod hi hyd yn oed yn meddwl y fath beth. Ceisiodd ddweud a dweud wrthi hi'i hun beidio teimlo felly ond mynnai'r gobaith lithro i'w meddwl. Os na fedrai hi berfformio o gwbl, pam dylai pawb arall wneud yn wych? Yn well fyth, pam na fedrai rhywbeth ddigwydd i beidio cael cyngerdd o gwbl? Doedd hel meddyliau fel hyn ddim yn beth dymunol iawn. Yn ddigon syml, roedd hi'n eiddigeddus. Dim mwy a dim llai. Hyll ofnadwy, ond gwir.

"Mae'n rhyfedd fod cymaint o gerddorion roc yn gwisgo du," meddai Ffion, gan syllu ar Llywela. "Neu os nad ydyn nhw'n gwisgo du, maen nhw'n aml yn gwisgo hen ddillad blêr ofnadwy, fel petaen nhw ddim yn malio sut olwg sy arnyn nhw."

"Dan ni'n gwisgo fel hyn am mai'r miwsig sy'n bwysig i ni, gerddorion roc," meddai Llywela yn sbeitlyd, "… yn wahanol i chi gerddorion pop."

"Mae'r miwsig a sut olwg sy arnon ni yn bwysig i ni," dadleuodd Fflur. "Mae'r perfformiad i gyd yn bwysig."

"Peidiwch â dadlau, wir," crefodd Ffion. "Fedrwch chi'ch dwy ddim cytuno i anghytuno ynghylch miwsig pop a roc? Miwsig ydi popeth, yntê?"

"Hy!" wfftiodd Llywela. "Wyt ti'n siŵr o hynny?"

Rhoddodd Ffion ei dwylo dros ei chlustiau. "Dim

rhagor!" gwaeddodd. "Os clywa i'r hen ddadl yna eto, bydda i'n sgrechian!"

"Cei di fod yn gyw roc cyn belled ag y cawn ni fod yn sêr pop," meddai Erin.

Edrychodd Llywela arni a chwarddodd. "Dydi hi ddim yn debygol y byddi di'n un o'r ddau!" dechreuodd, ond cydiodd Fflur mewn gobennydd oddi ar ei gwely a'i luchio ati. Sgrialodd Erin a Ffion i achub y wisg ac i symud o'r neilltu fel roedd Llywela a Fflur yn dechrau dyrnu'i gilydd o ddifri.

"Weithiau bydda i'n meddwl fod Fflur a Llywela yn debycach i efeilliaid na Fflur a fi!" meddai Ffion. "Edrych arnyn nhw. Maen nhw'n cael andros o hwyl!"

Ac yr oedden nhw hefyd, yn chwerthin nes eu bod nhw'n sâl wrth ddyrnu'i gilydd efo'r gobenyddion.

"Ond mae Fflur yn llawer iawn cleniach na Llywela," sibrydodd Erin, gan ddal ei gwynt wrth i Fflur syrthio oddi ar y gwely a'i breichiau'n chwyrlïo.

"Ydi, ond mae Llywela'n gleniach o lawer pan fydd hi'n anghofio actio," atebodd Ffion. "Mae'n biti ofnadwy nad oes ganddi ddim brawd na chwaer i gadw trefn arni hi."

Edrychodd Erin ar Llywela yn helpu Fflur i godi ar ei thraed. Roedd Ffion yn iawn. Roedd hi'n gleniach pan oedd hi ddim yn actio. Edrychai'n well hefyd – ei hwyneb gwyn arferol yn binc iach a'i llygaid, fyddai'n dywyll ac yn anhapus yr olwg fel arfer, yn sgleinio ac yn llawn hwyl.

"Be dach chi wedi bod yn ei wneud?" gofynnodd Rhian, geneth hŷn oedd yn swyddog ar eu coridor nhw, wrth roi ei phen heibio i'r drws.

"Cwffas gobennydd," meddai Fflur yn fodlon. "Pam?"

Ysgydwodd Rhian ei phen fel petai'n methu credu'r peth. "Dwi 'rioed wedi gweld model enwog yn edrych mor flêr o'r blaen," meddai hi. Chwarddodd Erin. Roedd Rhian yn iawn. Roedd crys-T Fflur yn flêr a di-siâp a'i gwallt yn llawn clymau yn lle bod yn llyfn a sgleiniog.

"Mae 'na neges i ti, Erin," meddai Rhian wedyn. "Fedri di fynd i'r stiwdio recordio, os gweli di'n dda? Mae Owain Tudur eisio dy weld di."

"Owain Tudur? Be mae o eisio?" gofynnodd Erin.

"Wn *i* ddim," meddai Rhian wrthi, "ond mae o eisio iti fynd ar d'union. Gwell iti frysio!"

"Be wyt ti wedi'i 'neud y tro yma?" gofynnodd Llywela. Dyrnodd Fflur hi'n hynod galed efo'r gobennydd nes ei bod hi'n syrthio ar y gwely.

Edrychodd Erin a Ffion ar ei gilydd. "Dwyt ti ddim wedi *gwneud* dim byd, siŵr iawn, Erin," meddai Ffion yn hyderus. "Wyt ti?"

"Nac ydw! Dwi ddim yn meddwl," meddai Erin, "ond mae'n well imi fynd i weld be mae o eisio."

Doedd neb yn meiddio gwneud i Owain Tudur aros a doedd Erin ddim eisiau tynnu athro mor bwysig i'w phen. Gwisgodd ei chôt a brysiodd o'r stafell. Be oedd o eisiau, tybed?

12. Syniad Da, Dan!

Rhedodd Erin draw i'r plasty. Pam oedd Owain Tudur eisiau ei gweld hi? Roedd hi wedi rowlio ceblau i'w cadw ddoe. Oedd hi wedi gwneud y gwaith yn flêr? Efallai ei bod hi wedi eu rhoi nhw yn y lle anghywir a'i fod o'n methu cael hyd iddyn nhw!

Brysiodd i lawr y grisiau cyn gyflymed ag y gallai i seler yr adeilad. Doedd y golau coch ddim ymlaen, felly gwyddai y gallai hi fynd i mewn. Roedd Owain Tudur yn gwneud paned iddo fo'i hun yn y gegin fechan.

"O! Erin. Yr union un …" Tawodd ei lais. Roedd ei ben o yn y gwynt hanner yr amser … ond nid pan fyddai'n gweithio. "Chdi rowliodd y …?"

O na! Mae'n rhaid ei bod hi wedi gwneud camgymeriad, er bod y cebl yn ei law yn hongian ble roedd hi wedi ei roi o ac yn edrych yn berffaith iawn Llyncodd Erin ei phoer yn nerfus.

"Ie," cyfaddefodd.

"Da iawn," meddai. "Taclus iawn." Ymhen ychydig eiliadau ychwanegodd, "Dwi'n hoffi petha taclus …" Gwnaeth arwydd arni i symud o'r ffordd ac aeth i mewn i'r stafell reoli efo'i baned. Dilynodd Erin o, yn teimlo tipyn bach yn well. Roedd yn rhaid i bawb fod yn amyneddgar efo Owain Tudur.

"Wyt ti eisio recordio …" chwifiodd Owain Tudur ei law yn annelwig "… Dan?"

"Dan?"

"Ie. Mae o eisio gwneud demo … Dywedodd o ella baset ti …"

"Erin!" Daeth llais Dan drwy un o'r cyrn llais a gwneud i Erin neidio. Mae'n rhaid ei fod o yn rhywle yn y stiwdio. Edrychodd drwy'r ffenest fawr oedd wedi'i hynysu ar gyfer sain oedd yn gwahanu'r stafell reoli a'r stafell recordio fwyaf, a chododd ei ffrind ei law arni'n llawen. Roedd o wedi bod yn gosod y drymiau yn eu lle.

"Diolch am ddod. Mae arna i angen gwneud recordiad ar gyfer Llywela ac roeddwn i'n meddwl

ella baset ti'n hoffi helpu. Aros funud. Dof i drwadd."
Mewn eiliad roedd o yn y stafell reoli. "Dywedodd
Owain Tudur y caet ti fy helpu i os oeddet ti awydd,"
eglurodd pan oedden nhw efo'i gilydd.

"Wir?" Disgleiriai llygaid Erin. "Wyt ti o ddifri?"
Edrychodd ar Dan ac ar Owain Tudur ac yn ôl ar
Dan eto.

"Heb chwarae'n wirion," meddai Owain Tudur. "A
gwneud fel dwi'n … Dewch 'laen felly …"

Prin y medrai Erin gredu'r peth. Roedd hyn yn
wych! Roedd hi'n mynd i fod yn rhan o recordiad go
iawn! Aeth Dan yn ôl at y drymiau a dangosodd
Owain Tudur iddyn nhw sut i osod y pum meicroffon
drwm.

"Dan ni angen y stand meic draw yn fan'cw."
Cododd hithau'r stand metel du oedd Owain Tudur
yn ei ddangos a'i gario'n ofalus yn ôl ato. "Gosod o
fel bod y meic dros y tom llawr." Dangosodd Dan y
drwm mawr agosaf at ei ddrwm bas a rhoddodd
Erin y stand i lawr. "Bydd angen iti ei osod o'n is,"
meddai Owain Tudur.

"Fel'na?"

"Dipyn bach eto. Dyna ni. Rŵan, rho'r meic yma ar y drwm snêr."

"Be ydi enw hwn?" gofynnodd Erin i Dan a gafael mewn pâr o symbalau rhyfedd efo lle gwag bychan rhyngddyn nhw ar stand arian uchel ac wedi eu cyplysu i bedal ar y llawr.

"Het uchel maen nhw'n ei alw fo," meddai Dan wrthi. "Edrych." Gwasgodd y pedal â'i droed. *Clonc!* Caeodd top y symbal i lawr ar yr un isaf. Pan gododd ei droed oddi ar y pedal, aeth y symbal yn ôl i fyny.

"Wn i ddim sut wyt ti'n llwyddo i 'neud cymaint o betha efo'i gilydd," meddai hi wrth Dan, gan syllu ar yr offer. "Mae o fel rhwbio dy fol a symud dy law i fyny ac i lawr ar dy ben ar yr un pryd, dim ond fod hyn yn fwy anodd!"

Pan oedd pob meicroffon yn ei le, aeth Owain Tudur ac Erin yn ôl i'r stafell reoli, gan adael Dan efo'r drymiau.

"Dyma nhw'r pump meic ar y sgrin," dangosodd i Erin a phwyntio at y llinellau ar fonitor gerllaw. "Rho'r rhain am dy wddw – bydd arnat ti eu hangen nhw mewn munud." Rhoddodd bâr o glustffonau iddi. 'Caniau' oedden nhw'n galw'r clustffonau yn y stiwdio recordio.

"Medri di siarad efo Dan drwy'r meic yma ar y ddesg gymysgu. Gofyn iddo chwarae'r drwm bas gynta tra wyt ti'n gosod y lefel ar ei gyfer."

Teimlai Erin yn bwysig iawn yn eistedd o flaen y ddesg gymysgu gyda'i dwsinau o fotymau. Plygodd ymlaen er mwyn siarad i'r meic.

"Ga i dipyn o fas?" meddai, fel y clywodd hi Owain Tudur yn ei ofyn i bobl.

"Iawn," meddai Dan. Gallai hi ei glywed yn berffaith. Dyrnodd gyda'i bedal fas a sbonciodd un o'r llinellau ar y monitor i fyny ac i lawr. Dangosodd Owain Tudur i Erin sut i'w osod ar y lefel gywir. Pan oedd hynny'n iawn, gofynnodd i Dan aros a chwarae'r drwm snêr. Pan oedd y lefelau recordio wedi eu gosod, dywedodd Owain Tudur wrthi am ofyn i Dan ddechrau chwarae er mwyn iddyn nhw gael ymarfer. Troellodd Dan ffon ddrwm arni drwy'r ffenest wydr cyn dechrau. Eisteddodd hithau'n ôl i'w wylio, gan deimlo'n broffesiynol iawn.

"Gwylia'r lefelau, Erin," rhybuddiodd Owain Tudur a tharo'r monitor â'i fys yn ysgafn. "Edrych ar y symbalau. Maen nhw'n mynd i foddi'r lleill os na roi di blwc bach i hwnna." Wps! Efallai nad oedd pethau ddim mor hawdd ag roedd hi wedi'i feddwl!

Fuon nhw fawr o dro yn recordio'r darn roedd Dan eisiau ei berfformio. Ar ôl gorffen, daeth Dan i'r stafell reoli a gwrandawodd pawb ar y perfformiad yn cael ei chwarae'n ôl.

"Be dach chi'n feddwl?" holodd Owain Tudur. Ymdrechodd Erin yn galed i geisio meddwl am rywbeth fyddai'n gwella'r recordiad.

"Ydi'r drwm snêr braidd yn ddistaw?" gofynnodd.

Nodiodd Owain Tudur. "Medri di gynyddu'i sŵn os wyt ti eisio." Dangosodd iddi pa fotwm i'w droi ac addasodd hithau o nes bod y sŵn yn fwy cytbwys.

"Mae o'n iawn rŵan!" meddai Dan ar ôl iddyn nhw wrando arno unwaith eto. "Diolch. Bydd hynna'n plesio Llywela."

Tynnodd Owain Tudur dâp o'r peiriant a'i roi i Erin.

"Rho dy enw ar y tâp yma," meddai wrthi. "Dyma

dy recordiad cynta fel peiriannydd sain. Mae'n bwysig cadw cofnod o dy waith." Roedd Erin wedi gwirioni! Cydiodd yn y tâp fel petai'n drysor mwya'r byd.

"Dyma gopi Llywela," ychwanegodd Owain Tudur a rhoi tâp arall i Dan. "Cei di ddweud wrthi ddod ag o'n ôl i gael ei ddefnyddio eto ar ôl y cyngerdd. Dwi'm yn credu mewn gwastraff. Wel, i ffwrdd â chi," meddai. "Da iawn. I ffwrdd â chi. Mae gen i betha gwell i'w gwneud ... Pan oeddwn i yn Ffordd yr Abaty doeddwn i ddim ..."

Sgrialoddd Dan ac Erin o'i ffordd ac yn ôl i'r brif neuadd.

"Diolch am helpu," meddai Dan.

"Na, diolch i *ti*!" meddai Erin. "Dwi wedi cael amser gwych. Doeddet ti ddim f'angen i go iawn, chwaith, oeddet ti? Basai Owain Tudur wedi medru gwneud y recordiad yna yn ei gwsg. Be wnaeth iti feddwl amdana i?"

Cododd Dan ei ysgwyddau. "Fyddai ots gen ti roi'r tâp i Llywela?" meddai heb edrych ym myw llygaid Erin cyn troi'r stori. "Mae hi'n gymaint o boendod wrth ymarfer. Eisio inni wneud be mae *hi'n* ddweud o hyd. Bob amser yn meddwl mai hi sy'n iawn. Os bydd y tâp ganddi, gall hi ymarfer heb i mi fod yno. Yna ella medra i lwyddo i fynd drwy'r perfformiad heb wylltio!"

"Gwnaf, wrth gwrs y gwna' i, ond Dan, pam ...?"

Gwthiodd y tâp i'w llaw hi'n frysiog, yn dal i osgoi ei llygaid. "Dim rheswm," meddai. Yna newidiodd ei feddwl ac ychwanegu, "Wel, roeddwn i'n meddwl, ti'n gwybod ..." Cododd ei ysgwyddau. "Rwyt ti 'di cael amser anodd a rwyt ti *yn* hoffi'r stiwdio recordio ..." Edrychodd yn iawn arni o'r diwedd, a gwrido.

"Rwyt ti'n dechrau swnio'n union fel Owain Tudur," cwynodd Erin. Yna sylweddolodd ei bod hithau'n gwrido hefyd.

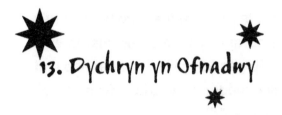

13. Dychryn yn Ofnadwy

Roedd hi'n ddiwrnod olaf y tymor – diwrnod y cyngerdd – a llawer o rieni'n cyrraedd yr ysgol. Yn syth ar ôl y cyngerdd byddai pawb yn cychwyn am adref i dreulio'r gwyliau Nadolig, ond doedd neb yn meddwl am hynny nes bod y perfformiadau ar ben. Neb, hynny yw, ond Erin.

Roedd hi'n dyheu am weld ei rhieni a'i brawd bach, ac yn edrych ymlaen i Fflur a Ffion gael cyfarfod Dion o'r diwedd. Roedd hi wedi sôn cymaint amdano wrthyn nhw. Roedd o'n rhy ifanc i boeni am ei phroblemau lleisiol hi. Fo oedd yr unig un oedd hi'n ei adnabod fyddai ddim yn holi sut hwyl oedd hi wedi'i gael y tymor hwnnw. Gyda Dion, gallai Erin fod yn hi'i hun ac anghofio poeni am bopeth, ac roedd arni wir angen gwneud hynny.

Roedd ganddi ddigon o amser i bacio'i bagiau tra

oedd pawb arall wrthi'n wyllt yn ymarfer.

"Tynna i'r dillad oddi ar eich gwelyau chi os dach chi eisio," cynigodd i Fflur a Ffion ar ôl i Mrs Prydderch ofyn i bawb roi eu dillad gwely mewn pentyrrau i helpu'r glanhawyr. "Wna' i dy rai di hefyd, os wyt ti isio," cynigodd i Llywela.

"Diolch," meddai Llywela, gan edrych arni'n syn iawn. "Byddai hynny'n wych."

Teimlai Erin yn falch o gael rhywbeth i'w wneud. Roedd hi'n ofnadwy gorfod gwylio pawb yn paratoi ar gyfer y cyngerdd. Fedrai hi ddim rhwystro'i hun rhag bod yn eiddigeddus, er iddi ymdrechu'n galed, galed. Roedd helpu'i ffrindiau yn ffordd o deimlo'n llai euog.

Roedd hi wedi gofyn i'w rhieni ddod erbyn diwedd y cyngerdd. Byddai'n ddigon anodd eistedd yn y gynulleidfa yn gwylio'i ffrindiau i gyd yn perfformio heb ei rhieni yno yn teimlo trueni drosti hefyd. Y peth olaf roedd hi eisiau'i wneud oedd crio ac roedd arni ofn y byddai'n gwneud petaen nhw efo hi.

Tynnodd Erin ei recordiad diweddar o'r drôr a'i roi

ar ben ei bag i'w ddangos i'w rhieni pan gyrhaedden nhw. Dyna'r un peth gwirioneddol wych oedd wedi digwydd. Gallai ddweud ei bod hi wedi gwneud *rhywbeth*, hyd yn oed os nad oedd ganddo fo ddim byd i'w wneud â'i chanu hi ei hun.

Ar hynny, rhuthrodd Fflur a Ffion i mewn i'r stafell.

"Wyddost ti be? Mae Mrs Prydderch eisio tynnu llun o bawb tu allan i Fron Dirion. Dan ni'n mynd i wisgo'n ffrogiau crand!" Saethodd Fflur i'w chwpwrdd dillad ac estyn ei gwisg fendigedig.

"Chdi hefyd, Erin," meddai Ffion wrth roi ei gwisg dros ei phen. "Llun tŷ ydi hwn. Rwyt ti cyn bwysiced â neb."

"Be ddylwn i ei wisgo?" gofynnodd Erin.

"Does dim ots," sicrhaodd Fflur hi.

"Nac oes, wir. Does dim ots be fydd ganddi *hi*," meddai Llywela yn annymunol wrth bwyso yn erbyn y drws.

"Wyt ti'n dod i mewn neu wyt ti'n mynd i aros yn fan'na yn bod yn annifyr?" mynnodd Ffion.

"A dweud y gwir," atebodd Llywela, "dwi wedi dod i roi neges i Erin."

"O!" cofiodd Erin. "Dwi i fod ar ddyletswydd yn y maes parcio."

"Nid ynghylch hynny," meddai Llywela. "Neges gan Dan ydi o. Gwelais i o rŵan yn y neuadd fawr. Dywedodd ei fod o newydd weld dy frawd bach yn crwydro o gwmpas tu allan ar ei ben ei hun."

Neidioddd Erin ar ei thraed. "Dion? Be mae o'n 'neud yma? Dydi Mam a Dad ddim yn dod tan ar ôl y cyngerdd. Dywedais i wrthyn nhw am beidio."

Edrychodd Fflur a Ffion ar ei gilydd. "Ond mae Dan yn 'nabod dy frawd bach, yn tydi, Erin? Fasa fo ddim yn gwneud camgymeriad, na fasa?"

"Ella bod dy rieni wedi cyrraedd yma'n gynnar," cynigiodd Ffion.

"Ond dwi'n sicr fod Mam yn gwybod nad oeddwn i ddim eisio iddyn nhw gyrraedd yma'n gynnar! Ble *mae* Dion?" gofynnodd i Llywela. "Ddaru Dan afael ynddo fo?"

Ysgydwodd Llywela ei phen. "Wn i ddim. Welais i'r un plentyn bach annifyr," meddai. "Mae 'na ormod o geir a phobl o gwmpas. Mae hi'n lloerig i lawr yn fan'na ar y funud."

"O na! Mae Dion yn sobor am grwydro ar ei ben ei hun," meddai Erin yn bryderus. "Gallai o fynd ar goll neu frifo." Dychmygodd weld Dion yn cael ei daro a'i frifo. Roedd hyd yn oed meddwl am hynny'n ddychrynllyd. Roedd yn rhaid iddi fynd i chwilio amdano.

"Helpwn ni," meddai Fflur, ond roedd Erin eisoes wedi mynd. Gwthiodd heibio i Llywela a rhedeg nerth ei thraed i lawr y coridor. Fyddai Dad a Mam byth wedi gadael i Dion grwydro o gwmpas ar ei ben ei hun ond weithiau roedd hi'n anodd iawn dal gafael arno. Gallai o fod wedi gwingo drwy'r dyrfa o rieni a boed yn y byd ble'r oedd o.

Brysiodd Erin draw at y plasty. Roedd y neuadd fawr yn llawn myfyrwyr a rhieni a phawb yn sgwrsio pymtheg y dwsin. Am fod yno gymaint o bobl roedd tri eisteddiad ar gyfer cinio a'r criw cynta, y myfyrwyr hynaf a'u rhieni, ar eu ffordd i mewn. Welai Erin ddim golwg o Dion, Dan na'i thad a'i mam yn unman. Gwthiodd drwy'r môr o bobl ac allan drwy'r drws ffrynt. Roedd ceir ar hyd y lle ym mhobman ond doedd dim golwg o'i brawd bach yn unman.

"Erin!" Cochyn oedd yno. Cythrodd i'w fraich.

"Wyt ti wedi'i weld o?"

"Dwi wedi bod yn chwilio amdanat ti," meddai Cochyn. "Gwelodd Dan dy frawd bach."

"Ble?" Edrychodd o amgylch y maes parcio yn wyllt.

"Yn mynd i gyfeiriad y llyn! Mae Dan wedi mynd ar ei ôl o."

Wnaeth Erin ddim aros i glywed mwy. Roedd ei chalon yn ei gwddw. Rhedodd nerth ei thraed tuag at y llyn.

"Erin, aros!"

Hen dro ei bod hi'n gwisgo'i hesgidiau gorau ar gyfer y cyngerdd. Byddai treinyrs wedi bod yn well … Llithrodd ar y graean wrth iddi wthio drwy'r bobl. Roedd hi'n haws ar y glaswellt. Oedodd am funud i gicio'i hesgidiau oddi ar ei thraed ac yna dal ati i redeg. Gallai weld Dan draw wrth y llyn ond doedd dim golwg o Dion.

"O! Gobeithio ei fod o'n iawn," meddai'n fyr ei gwynt. "Gobeithio ei fod o'n iawn. Beth, o beth petai o'n … boddi?"

Cododd Dan ei ben a'i gweld. Chwifiodd a phlygu i lawr at wyneb y dŵr. Clywai Erin bobl y tu ôl iddi, yn rhedeg i gyrraedd ati, ond doedd hi ddim yn meddwl am neb heblaw am ei brawd bach. Baglodd dros bentwr o wair a bu bron iddi syrthio. Fel roedd hi'n codi, beth glywodd ond SBLASH!

"NA!" sgrechiodd. "NA! ACHUB O, DAN! ACHUB O!"

14. Dyna Be mae Ffrindiau'n Wneud

Rhuthrodd Erin i mewn i'r llyn, ei thraed yn suddo hyd at ei fferau yn y mwd meddal ar y gwaelod.

"DION! DION!" sgrechiodd.

Beth oedd yn bod ar Dan? Pam nad oedd yntau yn y dŵr yn achub Dion?

Yna tasgodd yntau drwy'r dŵr ati hi. Roedd hi'n dal i sgrechian, heb hyd yn oed deimlo'r dŵr rhewllyd. Rhuthrodd drwy'r dŵr i chwilio am ei brawd bach ond fedrai hi weld dim byd drwy'r mwd roedd hi'n ei gynhyrfu o waelod y llyn. Cyrhaeddodd Dan ati a chydio yn ei breichiau.

"Paid â mynd ymhellach, mae'n beryglus!" bloeddiodd. Roedd Cochyn yno hefyd a thynnodd y ddau hi allan i'r lan. Roedd hi'n dal i sgrechian, wedi colli pob rheolaeth arni'i hun. Beth oedd enwogrwydd ac arian, na dim byd arall chwaith, os oedd ei brawd bach hi wedi boddi?

Roedd Fflur a Ffion yn aros ar y lan. Roedden nhwythau'n gweiddi hefyd.

"Mae o'n iawn, Erin! Wir! Gwranda arnon ni. Mae o'n iawn!"

Gollyngodd Dan a Cochyn eu gafael yn Erin ond cydiodd Ffion yn dynn ynddi y munud hwnnw. Ymdrechodd Fflur i sychu'r dagrau a lifai i lawr gruddiau Erin.

"Ble mae o?" Tynnodd Erin ei hun yn rhydd o afael Fflur a Ffion a throi i chwilio am ei brawd.

"Os gweli di'n dda, Erin," crefodd Dan, ei ddannedd yn rhincian gan oerfel. "Callia. Mae popeth yn iawn. Mae o'n berffaith ddiogel."

"*Ond ble mae o*?" gwaeddodd hithau.

Gafaelodd Ffion yn wyneb Erin a'i ddal nes bod eu llygaid yn cyfarfod.

"Mae Dion yn ddiogel," meddai hi'n dawel, a sylweddolodd Erin fod Ffion yn dweud y gwir.

"Ble mae o?" crefodd wedyn, ei llais yn crynu, crynu.

"Efo dy dad a dy fam, mae'n debyg. Ar ei ffordd

yma yn eich car chi," meddai Fflur. Rhythodd Erin arni ac yna ar y gweddill ohonyn nhw. Doedd hi ddim yn deall. Beth yn y byd mawr oedd yn digwydd? Crynai ei chorff i gyd fel petai rhywbeth ofnadwy wedi digwydd. *Oedd* rhywbeth wedi digwydd? Oedd popeth yn iawn? Pam oedden nhw i gyd ar lan y llyn yn yr oerni os oedd Dion yn y car?

"Dydw i ddim yn deall," meddai Erin a'i llais yn crynu. Edrychodd ei ffrindiau ar ei gilydd. Wyddai neb beth i'w ddweud.

"Paid â bod yn flin," crefodd Ffion, yn crynu yn ei gwisg denau. "Roedden ni'n ceisio dy helpu di i gael dy lais yn ôl. Roedden ni'n gobeithio y byddet ti wedi dychryn digon ac y byddet ti'n gwylltio ac yn gweiddi nerth esgyrn dy ben arnon ni ar ôl sylweddoli mai tric oedd o."

"Ac mae o wedi gweithio!" meddai Fflur. "Chlywais i 'rioed neb yn sgrechian mor ofnadwy o uchel ag y gwnest ti gynnau. Rwyt ti wedi cael dy lais yn ôl!"

"Doedden ni ddim yn bwriadu iddo weithio cystal â hyn, chwaith," meddai Dan yn bryderus. "Doedden ni ddim yn meddwl y byddet ti'n neidio i'r dŵr i'w achub o."

"Pam?" bloeddiodd Erin a'r rhyddhad yn troi'n ddicter. *"Fy mrawd bach i ydi o ac roeddwn i wedi dychryn!"*

Neidiodd Dan i'r ochr i osgoi ei dyrnau wrth iddi geisio'i daro.

"Mae'n ddrwg gen i," crefodd, gan blygu i osgoi peltan arall. "Dyna'r unig beth fedrwn i feddwl amdano i dy helpu di i gael dy lais yn ôl. Roedden ni'n meddwl y baset ti'n gweiddi am dy fod ti'n flin am y tric, nid am dy fod ti wir yn meddwl fod Dion mewn peryg."

Cymerodd Erin anadl ddofn, grynedig. "Wrth gwrs, wnes i ddim sylweddoli mai tric oedd o," meddai a'i llais yn crynu. "Hogyn bach ydi Dion ac roeddwn i'n meddwl y gallai o fod wedi boddi …"

Tawodd. Dechreuodd feichio crio. Rhoddodd Fflur a Ffion eu breichiau amdani i geisio'i chysuro. Edrychodd Dan ar Cochyn am help.

"Paid â chrio, Erin," meddai Cochyn wrthi, yn ceisio swnio'n llawn cydymdeimlad. "Mae dy frawd bach yn iawn. Wir yr. Mae'n ddrwg gynnon ni i gyd ein bod ni wedi dy ddychryn di gymaint, ond fe weithiodd o. Mae dy lais di wedi dod yn ôl."

"Dwi'n siŵr y byddi di'n medru canu yn y cyngerdd nesa," ychwanegodd Dan.

"Y cyngerdd!" gwaeddodd Fflur, gan ollwng ei gafael yn Erin, wedi dychryn am ei hoedl.

Anwybyddodd Ffion ei chwaer. Cofleidiodd Erin ac yna cydiodd yn ei braich. "Ty'd 'laen," meddai hi. "Rwyt ti wedi fferru ac wedi dychryn yn ofnadwy. Ty'd yn ôl i Fron Dirion i ti gael newid."

Roedd ffrindiau Erin i gyd wedi fferru a golwg mawr ar wisgoedd Fflur a Ffion. Doedden nhw ddim wedi rhwygo ond roedden nhw'n wlyb domen ac yn fwd drostynt. Hongiai'r defnydd tenau yn llipa ac roedd y lliwiau llachar yn fudr erbyn hyn. A'u hesgidiau cain? Wedi difetha am byth?

Ar ôl y frwydr i lusgo Erin allan o'r llyn, roedd Cochyn a Dan yn wlyb at eu crwyn hefyd. Hongiai darnau hirion o lysnafedd gwyrdd dros eu jîns mwdlyd, a fyddai eu treinyrs byth yr un fath eto.

Daliai calon Erin i guro'n gyflym ar ôl iddi gael

y fath fraw, ond roedd ei dicter tuag at ei ffrindiau am chwarae'r fath dric arni yn diflannu'n araf a'r rhyddhad fod Dion yn ddiogel yn cymryd ei le. Yna diflannodd ei gwylltineb am byth wrth iddi sylweddoli pam roedden nhw wedi gwneud beth wnaethon nhw. Er bod pethau wedi mynd dros ben llestri, er ei mwyn hi y gwnaethon nhw bopeth – a heddiw o bob diwrnod, pan ddylen nhw fod yn canolbwyntio'n gyfan gwbl ar y cyngerdd pwysig.

"Diolch," meddai hi'n dawel. Yna, cofiodd! Roedd ganddi hi lais go iawn!

"DIOOOOOOLCH YN FAAAAAWR!" canodd, ei llais yn chwyddo'n uchel a'r sŵn yn llifo o'i hysgyfaint, yn bur ac yn gryf. Teimlai ei nerth yn ddwfn tu mewn iddi. *Dyma* beth roedd hi wedi'i golli. *Dyma* beth roedd ei ffrindiau wedi ei helpu i'w ddarganfod drachefn! Edrychodd ar eu hwynebau gwelwon. Roedden nhw i gyd yn dal i'w gwylio'n bryderus. Ei ffrindiau hi. Ei ffrindiau *da* hi.

"Wel brysiwch!" meddai hi wrthyn nhw, yn chwerthin bron am ei bod hi mor falch. "Gwell i chi 'neud eich hunain yn barod, tydi? Mae eich rhieni chi'n aros am eu cinio … ac am y cyngerdd!"

15. Llais Erin

Ar ôl mynd yn ôl i'r ysgol, gwahanodd pawb. Roedd arnyn nhw i gyd angen cawodydd poeth a dillad sychion, ond er ei bod hi'n wlyb domen roedd Erin eisiau rhannu'i newyddion da efo rhywun. Gwthiodd drwy'r dyrfa o rieni, myfyrwyr ac athrawon yn y brif neuadd. A dyna lle'r oedd o. Huwcyn ap Siôn Ifan, yn sgwrsio efo dynes mewn oed, urddasol yr olwg, oedd yn gwisgo dillad lliwgar a chap o'r un defnydd. Cafodd gip ar Erin a chodi'i aeliau. Mae'n rhaid fod golwg drybeilig arni yn ei dillad gwlyb diferol.

"Mae fy llais i'n iawn!" meddai hi wrtho'n hapus. "Medra i ganu unwaith eto!"

Goleuodd wyneb Huwcyn a nodiodd yn araf. Gwenodd ar ei gydymaith a dweud, "Erin Elis ydi hon, Siân. Mae'r plentyn yma naill yn ei seithfed nef neu mewn pwll diwaelod! Does yna ddim byd yn y canol. Ar y funud, fel y gweli di, mae hi ar i fyny. Cantores ydi Siân hefyd, Erin. Wedi bod yn canu ers oes yr arth a'r blaidd!"

"Huwcyn ap Siôn Ifan!" dwrdiodd y wraig yn bryfoclyd. "Dydi hynna ddim yn beth clên o gwbl i'w ddweud wrth wraig fonheddig!" Gwenodd Huwcyn nes bod croen ei wyneb yn crychu fwy nag erioed.

"Mae'n dda gen i dy gyfarfod di, Erin," meddai Siân ac ysgwyd ei llaw. "Wedi bod yn dathlu cael dy lais yn ôl drwy fynd i nofio, ie?"

"Ddim yn hollol," meddai Erin, "ond dylwn i fynd i newid."

"Llongyfarchiadau!" meddai Huwcyn, gan wenu a chynnig ei law iddi hefyd. Cydiodd hithau ynddi. Ond rywfodd, doedd hynny ddim fel petai'n ddigon. Roedd hi mor hapus a doedd hi ddim eisiau iddo feddwl am funud nad oedd hi ddim wedi gwerthfawrogi ei gyngor, hyd yn oed os nad oedd hi wedi llwyddo i wrando arno.

"O! Diolch i chi!" meddai a'i gofleidio'n sydyn. "Diolch yn fawr, fawr!"

Yna, dychrynodd braidd. Oedd hi wedi gwneud y

peth iawn? Ond er ei fod o'n edrych fel petai wedi synnu braidd, dyma Huwcyn yn ei chofleidio hithau a gallai glywed ei chwerthiniad mawr yn taranu drwy'i frest.

Brysiodd Erin yn ôl i'w stafell. Roedd Fflur a Ffion newydd gael cawod ac wrthi'n sychu'u gwalltiau.

"Sut olwg sy 'na ar eich gwisgoedd chi?" holodd Erin yn bryderus.

"Dan ni wedi'u golchi nhw ac mae Mrs Prydderch wrthi'n eu rhoi nhw drwy'r sychwr," meddai Fflur, "ac yn cadw llygad barcud arnyn nhw inni. Dylen nhw fod yn iawn os na fyddan nhw'n mynd yn rhy boeth."

"Ella na fyddan nhw'n berffaith sych mewn pryd," ychwanegodd Ffion, "ond dim ots os byddan nhw braidd yn damp. Sut mae dy lais di?"

Cymerodd Erin anadl ddofn a dechrau canu gradd gyda'r nerth roedd Mr Parri wedi bod yn dyheu am ei glywed drwy gydol y tymor. Ysgydwodd Fflur ei gwallt gwlyb.

"Waw!" meddai hi. "Llais a hanner! Fedra i ddim credu fod y llais rhyfeddol yna wedi bod gan glo gen ti gyhyd!"

"Gwych," meddai Llywela, yn clertian ar ei gwely. "Fydd 'na ddim heddwch i'w gael yn y stafell 'ma rŵan." Ond roedd hithau hefyd hyd yn oed yn gwenu ychydig.

Roedd amser yn mynd heibio. Wedi cael cawod sydyn, aeth Erin ag esgidiau'r efeilliaid i'r stafell ymolchi a gwneud ei gorau glas i'w glanhau. Fydden nhw ddim yn edrych yn rhy ddrwg ar y llwyfan, meddyliodd, ond roedd golwg ddifrifol arnyn nhw wrth edrych yn graff. Ond be arall oedd i'w ddisgwyl? Fedrai neb drampio drwy'r mwd ar lan llyn mewn sandalau sglein a disgwyl iddyn nhw edrych fel newydd. Gobeithio i'r nef na fyddai mam Fflur a Ffion yn flin iawn!

Roedd pawb ond Erin, Llywela a Dan yn cael cinio efo'u rhieni, felly eisteddodd y tri efo'i gilydd.

"Sut mae dy lais di?" gofynnodd Dan, fel roedden nhw'n llowcio'u lasagne.

"Paid â gofyn iddi!" rhybuddiodd Llywela.

"Mae'n ddrwg gen i."

Chwarddodd Erin. "Mae o'n iawn. Dwi'n teimlo'n berffaith hyderus. Diolch, Dan." Cyfarfu eu llygaid a gwenodd y ddau ar ei gilydd. Gyda'r cyngerdd ar fin dechrau ymhen ychydig funudau, roedd yr awyrgylch yn y stafell fwyta yn drydanol. Petai Llywela ddim efo nhw, efallai y byddai Erin hyd yn oed wedi cofleidio Dan!

"Edrychwch! Mae Mr Parri yn fan'cw," meddai hi yn lle hynny. "Mae'n rhaid imi fynd i ddweud wrtho fo." Aeth draw at lle'r oedd o'n sefyll yn aros am ei ginio. "Mae o'n iawn!" meddai Erin wrtho'n gyffrous. Gwyddai yntau'n syth am beth roedd hi'n sôn.

"O! Da iawn!" meddai. "Be wnaeth y tric? Yr ymarfer chwydu neu gadael llonydd iddo ddod ato'i hun yn ei amser ei hun wnest ti?"

"'Run o'r ddau!" atebodd Erin. "Fy ffrindiau helpodd fi."

"O? Wel, dwi'n falch iawn beth bynnag. Ond paid ti â gadael iddo fo ddiflannu eto! Mae gen i ganeuon gwych i ti eu dysgu y tymor nesa. Bydd yn rhaid iti weithio'n galed er mwyn gwneud iawn am yr hyfforddiant y dylet ti fod wedi'i gael y tymor yma, ond mi wn i y gwnei di."

Roedd yr holl fyfyrwyr, y rhieni a'r athrawon yn

mynd i'r neuadd. Doedd cefn y llwyfan ddim yn cael ei ddefnyddio ar gyfer cyngerdd *Sêr y Dyfodol*. Eisteddai'r perfformwyr i gyd yn y tu blaen a dim ond ychydig gamau oedd 'na i fynd i fyny ar y llwyfan. Fel hyn, gallai pawb fwynhau'r cyngerdd a pherfformio a phleidleisio hefyd. Roedd gan bawb raglen a phensel i roi marc allan o ddeg i bob eitem. Yn ystod y gwyliau byddai'r athrawon yn dadansoddi'r canlyniadau a phan fyddai'r myfyrwyr yn dod yn ôl bydden nhw'n gweld pa berfformiad oedd wedi ennill y rhan fwyaf o farciau *Sêr y Dyfodol*.

Er nad oedd Erin yn perfformio, roedd hi wedi cael caniatâd i eistedd efo'i ffrindiau yn y tu blaen. Edrychodd Dan arni a gallai hi weld ei fod yntau'n meddwl yr un peth.

"Ydw i yma go iawn?"gofynnodd.

"Wn i be wyt ti'n feddwl!" cytunodd hithau. "Er nad ydw i'n rhan o'r cyngerdd y tro yma, dwi yma ym Mhlas Dolwen yn dysgu bod yn gantores bop. A rŵan, a finna wedi cael fy llais yn ôl, bydd y tymor nesa yn wych!"

"Wn i," meddai Dan "Dwi'n mynd i fod yn drymio o flaen cynulleidfa am y tro cynta yn fy mywyd!"

"O, ty'd 'laen," meddai Llywela. "Paid â mwydro, Dan. Dwi'n gobeithio nad wyt ti ddim yn mynd i fy siomi i. Wyt ti'n siŵr dy fod ti'n gwybod dy ran di yn iawn?" Ddywedodd Dan ddim byd, ond gwenodd yn gynnil ar Erin a gwenodd hithau'n ôl.

Fflur a Ffion oedd yr eitem gynta. Ar y llwyfan roedd y goleuadau yn gwneud iddyn nhw edrych yn anfarwol o hardd. Aeth y ddwy drwy'u pethau'n urddasol fel dwy frenhines, yn perfformio fel petaen nhw wedi hen arfer ar lwyfan – fel roedden nhw, wrth gwrs, ac yn canu â'u holl angerdd. Rhoddodd Erin naw allan o ddeg i'r ddwy.

Croesodd ei bysedd pan ddaeth tro Dan, ond doedd dim angen iddi wneud hynny. Roedd ei ddrymio'n anhygoel. Ymdrechodd hi i beidio bod yn rhagfarnllyd, ond rhoddodd ddeg iddo beth bynnag. Er mawr syndod i Erin, roedd Llywela'n nerfus iawn a gwnaeth amryw o gamgymeriadau ar y gitâr, ond canodd yn eitha da fyth a rhoddodd Erin saith marc iddi.

Wrth wrando ar y siarad yn y neuadd yn ystod yr egwyl, roedd hi'n edrych yn bur debyg mai Dan oedd y ffefryn o flwyddyn saith hyd yn hyn.

"Wrth gwrs, dydi hynny'n golygu dim," meddai Llywela. "Dim ond y cyngerdd cynta ydi hwn. Mae 'na *ddau* y tymor nesa a dau arall y tymor wedyn. Gall unrhyw beth ddigwydd cyn diwedd y flwyddyn."

Roedd hynny'n berffaith wir a digon o gyfle eto i Erin hefyd ennill marciau. Golygu dim, wir! Pwy ond Llywela fyddai'n dweud peth mor gathaidd?

Roedden nhw ar fin mynd yn ôl i mewn ar gyfer ail hanner y cyngerdd pan gyrhaeddodd car rhieni Erin. Roedden nhw yno! Cyn gynted ag yr arhosodd y car, rhedodd Erin draw ac agor y drws cefn. Cododd Dion ei freichiau i gydio ynddi, yn wên o glust i glust. Llanwodd llygaid Erin â dagrau. Agorodd yr harnais a'i godi o'i sedd. Cofleidiodd o mor galed nes iddo wingo i gael mynd i lawr, ond cadwodd ei chwaer fawr afael dynn, dynn yn ei law.

"Mae fy llais i'n ôl yn iawn!" meddai'n fuddugoliaethus wrth ei rhieni.

"Gwych!" meddai ei thad. "Roeddwn i'n gwybod y

byddai popeth yn iawn ac y byddet ti'n siŵr o lwyddo!"

Gwenodd Erin arnyn nhw i gyd. Dyna falch oedd hi. Roedd ei brawd yn ddiogel a'i llais yn iawn. Roedd ganddi ffrindiau da a'r tymor nesa byddai hithau i fyny'n fan'na ar y llwyfan yn morio canu o'i chalon – yn Seren y Dyfodol!

Ac rwyt tithau'n
dyheu am fod
yn seren bop

Drosodd mae rhai o
sêr y byd pop a roc Cymraeg
yn cynnig cyngor neu ddau
a all fod yn
gymorth iti
weld dy
freuddwyd
yn cael
ei gwireddu

Cam bach ar y llwyfan mawr

Digon o dalent?
Digon o ynni ac awydd?
Dyma chydig o awgrymiadau
i'th helpu i fod yn seren bop . . .

Rhaid iti fod yn gadarnhaol –
credu ynot dy hun, a bod yn hyderus.

Dechrau arni – paid â disgwyl.
Ymuna â chor yr ysgol neu
griw cân actol yr Urdd
neu ffurfia fand dy hun.

Does dim rhaid dilyn y dyrfa.
Paid ag ofni bod yn wahanol.

Penderfyniad – mae hwnnw'n beth mawr.
Gweithia'n galed a chanolbwyntia.

Bydd yn greadigol. Rho gynnig
ar sgwennu dy ganeuon dy hun.

Amynedd piau hi! Paid â rhoi'r
ffidil yn y to os na ddaw llwyddiant
dros nos.

Bacha'r cyfle pan ddaw
hwnnw heibio.

Rhaid bod yn barod i addasu –
rho gynnig ar wneud rhywbeth gwahanol
os bydd drws yn agor.

Tân yn y galon – mae'n rhaid
dangos ysbryd a theimlad yn
dy berfformiad.

Gwylia eraill, mae gweld a gwylio'r
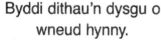
sêr wrthi yn addysg ac yn bleser.
Rho help llaw i eraill.
Byddi dithau'n dysgu o
wneud hynny.

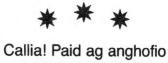

Callia! Paid ag anghofio
dy waith ysgol!

Cadw dy draed ar y ddaear a phaid
â mynd yn ben bach. Mae pawb
angen ffrindiau felly paid ag anghofio
amdanyn nhw.

Bydd yn driw i ti dy hun.

Ac yn olaf – y peth pwysicaf
un – mwynha bopeth ti'n
ei wneud!

Dos amdani!
Mae'r dyfodol yn dy ddwylo di

Gwreichion Sêr

Cipio'r
Cyfle

Cindy Jefferies
add. Emily Huws

1